LE PÈLERIN
DE COMPOSTELLE

Paulo Coelho

LE PÈLERIN DE COMPOSTELLE

Traduit du portugais (Brésil)
par Françoise Marchand-Sauvagnargues

Éditions Anne Carrière

**Du même auteur
chez le même éditeur :**

L'Alchimiste, traduction de Jean Orecchioni, 1994
L'Alchimiste, traduction de Jean Orecchioni, édition
illustrée par Mœbius, 1995
*Sur le bord de la rivière Piedra je me suis assise et j'ai
pleuré,* traduction de Jean Orecchioni, 1995

titre original : O DIARIO DE UM MAGO

En page de couverture :

Le Pèlerin, de Christina Oiticica,
(huile sur toile ; 0,81 × 1,00 m),
collection Jorge Veloso.

ISBN : 2-910188-50-7

Alors ils lui dirent : « *Seigneur, voici*
deux épées. »
Et Lui répondit : « *C'est bien assez.* »

Luc, XXII, 38

Il y a dix ans, j'entrai dans une petite maison à Saint-Jean-Pied-de-Port, convaincu que je perdais mon temps. À cette époque, ma quête spirituelle était liée à l'idée qu'il existait des secrets, des chemins mystérieux, des gens capables de comprendre et de contrôler des choses défendues à la majorité des mortels. Ainsi, parcourir le « le chemin des gens ordinaires » me semblait un projet sans intérêt.

Une partie de ma génération – moi y compris – s'était laissé fasciner par les sectes, les sociétés secrètes et l'opinion selon laquelle ce qui est difficile et compliqué nous mène toujours à la compréhension du mystère de la vie. En 1974, j'ai dû le payer très cher. Tout de même, la peur passée, la fascination de l'occulte s'est installée dans ma vie. C'est pourquoi, lorsque mon maître m'a parlé du chemin de Saint-Jacques, j'ai trouvé l'idée de ce pèlerinage fatigante et inutile. J'en suis même venu à envisager d'abandonner RAM,

9

une petite confrérie sans importance, fondée sur la transmission orale du langage symbolique.

Lorsque, enfin, les circonstances m'ont poussé à réaliser ce que mon maître me demandait, j'ai décidé que ce serait à ma manière. Au début du pèlerinage, je cherchais à faire de Petrus le sorcier don Juan, personnage auquel recourt l'écrivain Carlos Castañeda pour expliquer son contact avec l'extraordinaire. Je croyais qu'avec un peu d'imagination je pourrais rendre agréable l'expérience du chemin de Saint-Jacques et remplacer le révélé par l'occulte, le simple par le complexe, le lumineux par le mystérieux.

Mais Petrus a résisté chaque fois que j'ai tenté de le transformer en héros. Cela a rendu notre relation très difficile et, finalement, nous nous sommes séparés, sentant l'un et l'autre que cette intimité ne nous avait menés nulle part.

Longtemps après cette séparation, j'ai compris ce que cette expérience m'avait apporté. Aujourd'hui, cette compréhension est ce que je possède de plus précieux : l'extraordinaire se trouve sur le chemin des gens ordinaires. Elle me permet de courir tous les risques pour aller au bout de ce en quoi je crois. C'est elle qui m'a donné le courage d'écrire mon premier livre, Le Pèlerin de Compostelle. Elle m'a donné la force de lutter pour lui, même si l'on me disait qu'il était impossible pour un Brésilien de vivre de littérature. Elle m'a aidé à trouver la dignité et la persévérance dans le Bon Combat qu'il me faut engager chaque jour avec moi-même, si je veux continuer à parcourir « le chemin des gens ordinaires ».

Je n'ai plus jamais vu mon guide. Quand le livre a été publié au Brésil, j'ai tenté de le contacter mais il ne m'a pas répondu. Lorsque la traduction anglaise est parue, j'étais content à l'idée qu'il puisse enfin lire ma version de ce que nous avions vécu ensemble. J'ai tenté de nouveau de le joindre, mais il avait changé de numéro de téléphone.

Dix ans plus tard, Le Pèlerin de Compostelle est édité dans le pays où j'ai entrepris le voyage. C'est sur le sol français que j'ai vu Petrus pour la première fois. J'espère le rencontrer un jour, pour pouvoir lui dire : « Merci, je te dédie ce livre. »

Paulo COELHO

Prologue

« Et que, devant le Visage sacré de RAM, tu touches de tes mains la Parole de vie, et reçoives une telle force que tu deviennes son témoin jusqu'aux confins de la Terre ! »

Le Maître a levé ma nouvelle épée, sans la sortir de son fourreau. Les flammes ont crépité dans le feu, un présage favorable signifiant que le rituel devait continuer. Alors, je me suis baissé et, à mains nues, j'ai commencé à creuser la terre devant moi.

C'était la nuit du 2 janvier 1986, et nous étions au sommet d'une montagne de la Serra do Mar, près de la formation appelée les Aiguilles noires. Outre mon Maître et moi, se trouvaient là ma femme, un de mes disciples, un guide local et un représentant de la grande confrérie qui réunissait les ordres ésotériques du monde entier, connue sous le nom de Tradition. Tous les cinq – y

13

compris le guide, prévenu à l'avance de ce qui allait se produire – participaient à mon ordination comme Maître de l'ordre de RAM, une ancienne confrérie chrétienne fondée en 1492.

J'avais creusé dans le sol un trou peu profond, mais large. Très solennellement, j'ai frappé la terre en prononçant les paroles rituelles. Ma femme s'est alors approchée. Elle m'a remis l'épée dont je m'étais servi pendant plus de dix ans et qui avait été mon auxiliaire durant tout ce temps. J'ai déposé l'épée dans le trou, puis je l'ai recouverte de terre et j'ai aplani le sol. Tandis que j'accomplissais ces gestes, me revenait le souvenir des épreuves que j'avais traversées, des choses que j'avais apprises et des phénomènes que j'étais capable de provoquer, simplement parce que j'avais avec moi cette épée si ancienne, ma grande amie. Maintenant, la terre allait la dévorer, le fer de sa lame et le bois de son manche allaient de nouveau nourrir le lieu d'où elle avait puisé tant de pouvoir.

Le Maître s'est approché et il a placé ma nouvelle épée devant moi, au-dessus de l'endroit où j'avais enterré l'ancienne. Tous ont alors écarté les bras et le Maître a fait se former autour de nous une étrange lumière, qui n'éclairait pas mais qui était visible et donnait aux silhouettes une couleur différente du jaune projeté par le feu.

Retirant de son fourreau sa propre épée, il en a touché mes épaules et ma tête, en disant :

« Par le pouvoir et par l'amour de RAM, je te nomme Maître et chevalier de l'Ordre, aujourd'hui et pour les jours qu'il te reste à vivre. R pour Rigueur, A pour Amour, M pour Miséricorde ; R pour *Regnum*, A pour *Agnus*, M pour *Mundi*. Quand tu disposeras de ton épée, qu'elle ne reste jamais très longtemps dans son fourreau, parce qu'elle pourrait rouiller. Mais quand elle sortira du fourreau, qu'elle n'y retourne jamais sans avoir auparavant accompli un bien, ouvert un chemin. »

De la pointe de son épée, il m'a fait une légère blessure à la tête. Je n'avais plus alors besoin de me taire. Il ne m'était plus nécessaire de cacher ce dont j'étais capable, ni d'occulter les prodiges que j'avais appris à réaliser sur la voie de la Tradition. À partir de ce moment, j'étais un frère.

J'ai tendu la main pour saisir ma nouvelle épée, faite d'acier inaltérable et de bois dont la terre ne se nourrit pas, au manche noir et rouge et au fourreau noir. Mais à l'instant où mes mains touchaient le fourreau et où je m'apprêtais à porter l'épée jusqu'à moi, le Maître a fait un pas en avant et il m'a marché sur les doigts avec une telle violence que j'ai hurlé de douleur et lâché l'épée.

Je l'ai regardé sans comprendre. L'étrange

lumière avait disparu et les flammes donnaient à son visage une apparence fantasmagorique.

Il m'a regardé froidement, il a appelé ma femme et lui a remis la nouvelle épée. Puis il s'est tourné vers moi en prononçant ces paroles :

« Éloigne ta main qui t'abuse ! Parce que la voie de la Tradition n'est pas le chemin de quelques élus, mais le chemin de tous les hommes ! Et le pouvoir que tu crois posséder n'a aucune valeur, parce que ce n'est pas un pouvoir qui se partage avec les autres hommes ! Tu aurais dû refuser l'épée. Alors, elle t'aurait été remise parce que ton cœur était pur. Mais comme je le craignais, au moment sublime, tu as glissé et tu es tombé. À cause de ton avidité, il te faudra cheminer de nouveau à la recherche de ton épée. À cause de ta superbe, il te faudra la chercher parmi les hommes simples. Et à cause de ta fascination pour les prodiges, il te faudra beaucoup lutter pour retrouver ce qui allait t'être remis si généreusement. »

Ce fut comme si le monde s'était évanoui sous mes pieds. Je restai à genoux, sans voix, l'esprit vide. Maintenant que j'avais rendu ma vieille épée à la terre, je ne pourrais plus la reprendre. Et puisque la nouvelle ne m'avait pas été remise, je me trouvais de nouveau dans la situation d'un débutant, sans pouvoir et sans défense. Le jour de ma suprême ordination céleste, la violence de mon Maître, m'écrasant les doigts, me renvoyait au monde de la Haine et de la Terre.

Le guide a éteint le feu et ma femme, venant vers moi, m'a aidé à me relever. C'était elle qui tenait ma nouvelle épée; moi, selon les règles de la Tradition, je ne pourrais jamais la toucher sans la permission de mon Maître. Nous sommes descendus par les bois en silence, en suivant la lanterne du guide, et nous sommes enfin arrivés sur la petite route de terre où les voitures étaient garées.

Personne n'a pris congé de moi. Ma femme a rangé l'épée dans le coffre de la voiture et elle a mis le moteur en marche. Nous sommes restés un long moment silencieux, tandis qu'elle conduisait lentement pour éviter les trous et les bosses du chemin.

« Ne t'inquiète pas, a-t-elle dit pour me redonner un peu de courage. Je suis certaine que tu la retrouveras. »

Je lui ai demandé ce que le Maître lui avait expliqué.

« Trois choses. Premièrement, qu'il aurait dû apporter un vêtement chaud, parce que là-haut il faisait beaucoup plus froid qu'il ne pensait. Deuxièmement, que rien de tout cela ne l'avait surpris et que cela était déjà arrivé bien des fois à beaucoup d'autres qui étaient parvenus là où tu en es. Et troisièmement, que ton épée t'attendrait en un point d'un chemin qu'il te faudrait parcourir. Je ne connais ni la date ni l'heure. Il m'a seulement parlé de l'endroit où je dois la cacher pour que tu la trouves.

-- Et quel est ce chemin? ai-je demandé nerveusement.

– Ah! Cela, il ne l'a pas très bien expliqué. Il a seulement dit que tu devais chercher, sur la carte de l'Espagne, une vieille route médiévale connue sous le nom d'étrange chemin de Saint-Jacques. »

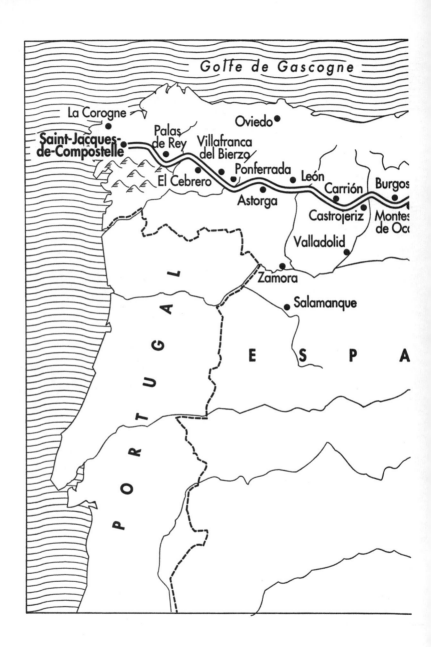

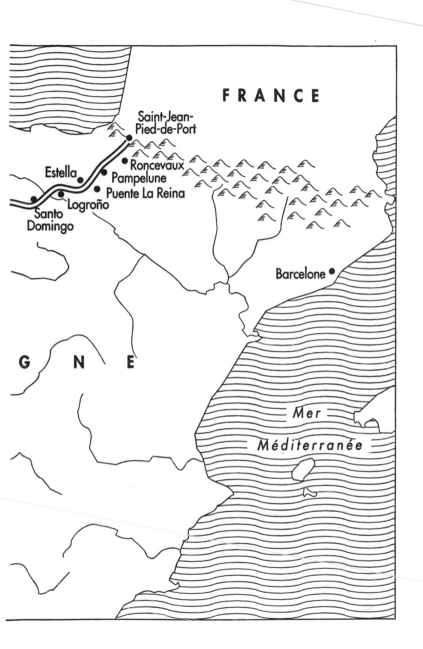

L'arrivée

Le douanier a regardé longuement l'épée que ma femme emportait et nous a demandé ce que nous avions l'intention d'en faire. J'ai répondu qu'un de nos amis allait l'expertiser avant que nous la mettions aux enchères. Le mensonge a réussi ; le douanier nous a délivré une attestation stipulant que nous étions entrés avec l'épée par l'aéroport de Bajadas, et nous a signalé que, si des problèmes se présentaient pour la faire sortir du pays, il suffirait de montrer ce document à la douane.

Nous nous sommes rendus au comptoir de location pour confirmer la réservation des deux voitures. Nous avons pris les billets et nous sommes allés manger un morceau ensemble au restaurant de l'aéroport, avant de nous séparer.

J'avais passé une nuit d'insomnie dans l'avion -- à la fois par peur de l'avion et par crainte de ce qui allait arriver – mais, malgré cela, j'étais excité et bien réveillé.

« Ne t'en fais pas, a-t-elle répété pour la énième fois. Tu dois te rendre en France, et à Saint-Jean-Pied-de-Port chercher Mme Savin. Elle te mettra en contact avec quelqu'un qui te conduira sur le chemin de Saint-Jacques.

– Et toi ? ai-je demandé également pour la énième fois, tout en connaissant déjà la réponse.

– Je vais où je dois aller, rapporter ce qui m'a été confié. Ensuite je reste à Madrid quelques jours et je retourne au Brésil. Je suis capable de diriger nos affaires aussi bien que toi.

– Ça, je le sais », ai-je répliqué, ne voulant pas aborder le problème.

J'étais extrêmement préoccupé par les affaires que j'avais laissées au Brésil. J'avais appris l'essentiel sur le chemin de Saint-Jacques en quinze jours après l'incident des Aiguilles noires, mais il m'avait fallu presque sept mois pour me décider à tout quitter et à faire le voyage. Finalement, un matin, ma femme me dit que l'heure et le jour approchaient et que, si je ne prenais pas une décision, je devrais oublier pour toujours la voie de la fraternité et l'ordre de RAM. J'essayai de lui démontrer que le Maître m'avait confié une tâche impossible, puisque je ne pouvais pas me décharger simplement de la responsabilité de mon travail quotidien. Elle rit et rétorqua que ce n'était pas une bonne excuse car, au cours de ces sept mois, je n'avais pas fait grand-chose, sinon passer des nuits et des jours à me demander si je devais ou non entreprendre le voyage. Et, le plus naturellement du monde, elle me tendit les deux billets sur lesquels figurait la date du vol.

« Pourquoi as-tu pris cette décision, maintenant que nous sommes ici ? ai-je demandé dans la cafétéria de l'aéroport. Je ne sais pas si c'est une bonne chose de laisser quelqu'un d'autre prendre la décision d'aller chercher mon épée. »

Ma femme m'a répondu que, si nous devions recommencer à raconter des sottises, il valait mieux nous séparer tout de suite.

« Tu ne permettrais jamais que la moindre décision dans ta vie vienne de quelqu'un d'autre. Allons-y, il se fait tard. »

Elle a pris ses bagages et s'est dirigée vers l'agence. Je n'ai pas bougé. Je suis resté assis, observant avec quelle application elle portait mon épée, qui à chaque instant menaçait de glisser de sous son bras.

À mi-chemin elle s'est arrêtée ; elle est revenue près de la table où je me trouvais, m'a donné un baiser sonore sur la bouche et m'a regardé longuement sans rien dire. Soudain, j'ai compris que c'était l'Espagne, que je ne pouvais plus revenir en arrière. J'avais l'horrible certitude que les risques d'échec étaient grands, mais j'avais fait le premier pas. Je l'ai embrassée alors très amoureusement, de tout l'amour que je ressentais à cet instant, et tandis qu'elle était dans mes bras, j'ai prié tout ce en quoi et tous ceux en qui je croyais, les implorant de me donner la force de revenir avec l'épée.

« Belle épée, tu as vu ? a commenté une voix féminine à la table voisine après le départ de ma femme.

– Ne t'en fais pas, a répondu une voix masculine. Je t'achèterai exactement la même. Dans les boutiques pour touristes, ici, en Espagne, il y en a des centaines. »

Au bout d'une heure de conduite, j'ai commencé à ressentir la fatigue accumulée la nuit précédente. Et la chaleur du mois d'août était si forte que, même sur une route peu encombrée, la voiture manifestait des signes de surchauffe. J'ai décidé de m'arrêter un peu dans une petite ville signalée sur les cartes routières comme site historique. Cependant que je grimpais la pente abrupte qui y menait, je me suis remémoré une fois de plus tout ce que j'avais appris sur le chemin de Saint-Jacques.

Dans la tradition musulmane, tout fidèle doit effectuer au moins une fois dans sa vie le pèlerinage à La Mecque. De même, le premier millénaire du christianisme a connu trois routes sacrées, qui valaient une série de bénédictions et d'indulgences à quiconque parcourait l'une d'elles. La première menait au tombeau de saint Pierre, à Rome. Son symbole était une croix. On appelait « romées » ou « romieux » ceux qui la parcouraient. La deuxième conduisait au Saint-Sépulcre du Christ, à Jérusalem, et ceux qui la suivaient étaient appelés « paulmiers », car elle avait pour symbole les palmes qui saluèrent le Christ quand il entra dans la ville. Enfin, il existait un troisième chemin – un chemin qui menait jusqu'aux reliques de l'apôtre Jacques, enterrées en un lieu de la péninsule Ibérique où, certain soir, un berger avait vu une étoile briller au-dessus d'un champ. D'après la légende, saint Jacques et la Vierge Marie elle-même passèrent par là après la mort du Christ, portant la parole de l'Évangile et exhortant les populations à se convertir. L'endroit prit le nom de Compostelle – le champ de l'étoile – et bientôt s'éleva une ville qui allait attirer les voyageurs de toute la chrétienté. À ceux qui parcouraient cette troisième route sacrée, on donna le nom de « pèlerins » et ils prirent pour symbole une coquille.

Lors de son âge d'or, au XIV° siècle, plus d'un million de personnes, venues de toute l'Europe, parcouraient chaque année la « Voie lactée » (qui doit son nom au fait que, la nuit, les pèlerins s'orientaient grâce à cette galaxie). De nos jours encore, des mystiques, des religieux et des chercheurs font à pied les sept cents kilomètres qui séparent la cité française de Saint-Jean-Pied-de-Port de la cathédrale de Saint-Jacques-de-Compostelle, en Espagne [1].

Grâce au prêtre français Aymeri Picaud, qui fit le pèlerinage à Compostelle en 1123, la route suivie aujourd'hui par les pèlerins est identique au chemin qu'ont parcouru, au Moyen Âge, Charlemagne, François d'Assise, Isabelle de Castille et, plus récemment, le pape Jean XXIII – parmi tant d'autres. Picaud écrivit sur son expérience cinq livres, qui furent présentés comme l'œuvre du pape Calixte II – adepte de saint Jacques –, et connus plus tard sous l'appellation de *Codex Calixtinus*. Dans le livre V du *Codex Calixtinus*, *Liber Sancti Jacobi*, Picaud énumère les marques naturelles, les fontaines, les hospices, les abris et

1. Le chemin de Saint-Jacques en territoire français se compose de plusieurs routes, qui se rejoignent dans la ville espagnole de Puente La Reina. La ville de Saint-Jean-Pied-de-Port est située sur l'une de ces routes, qui n'est ni la seule ni la plus importante.

les villes qui se trouvent le long du chemin. Se fondant sur les commentaires de Picaud, une société – « Les Amis de saint Jacques » (on traduit *São Tiago* par saint Jacques en français, *James* en anglais, *Giacomo* en italien, *Jacob* en latin) – s'est chargée de conserver jusqu'à nos jours ces marques naturelles et d'orienter les pèlerins.

Vers le XII* siècle, la nation espagnole commença à tirer profit de la mystique de saint Jacques dans sa lutte contre les Maures, qui avaient envahi la péninsule. Plusieurs ordres militaires se développèrent le long du Chemin, et les cendres de l'apôtre devinrent un puissant rempart spirituel pour combattre les musulmans, qui affirmaient avoir de leur côté le bras de Mahomet. Mais la *Reconquista* achevée, les ordres militaires étaient si puissants qu'ils devinrent une menace pour l'État, ce qui obligea les Rois Catholiques à intervenir pour éviter que ces ordres ne s'insurgent contre la noblesse. Le Chemin tomba alors peu à peu dans l'oubli et, sans quelques manifestations artistiques sporadiques – comme *La Voie lactée,* de Buñuel, ou *Caminante,* de Joan Manuel Serrat –, personne aujourd'hui ne se souviendrait que sont passés par là des milliers de gens qui, plus tard, iraient peupler le Nouveau Monde.

Le village où je suis arrivé en voiture était absolument désert. Après avoir beaucoup cherché, j'ai trouvé une petite buvette installée dans une vieille bâtisse de style médiéval. Le propriétaire – qui ne quittait pas des yeux son feuilleton à la télévision – m'a fait remarquer que c'était l'heure de la sieste et que j'étais fou de prendre la route par cette chaleur.

J'ai commandé une boisson fraîche, tenté de regarder un peu la télévision, mais je ne parvenais à me concentrer sur rien. Je pensais seulement que dans deux jours j'allais revivre, en plein XXe siècle, un peu de la grande aventure humaine qui avait ramené Ulysse de Troie, accompagné don Quichotte dans la Manche, mené Dante et Orphée aux Enfers et Christophe Colomb jusqu'aux Amériques : l'aventure du voyage vers l'Inconnu.

Quand je suis retourné prendre ma voiture, j'étais un peu plus calme. Même si je ne trouvais pas mon épée, le pèlerinage sur le chemin de Saint-Jacques me permettrait finalement de me découvrir moi-même.

Saint-Jean-Pied-de-Port

Des personnages masqués et une fanfare – tous vêtus de rouge, de vert et de blanc, les couleurs du Pays basque français – défilaient dans la rue principale de Saint-Jean-Pied-de-Port. C'était dimanche, j'avais passé deux jours au volant de ma voiture et je ne pouvais perdre une minute de plus, fût-ce pour assister à cette fête. Je me suis frayé un passage dans la foule, j'ai entendu quelques insultes en français, mais j'ai finalement franchi les fortifications qui constituent la partie la plus ancienne de la ville, où je devais rencontrer Mme Savin. Même dans ce coin des Pyrénées, il faisait chaud pendant la journée, et je suis sorti du véhicule trempé de sueur.

J'ai frappé à la porte. J'ai frappé de nouveau, en vain. Une troisième fois. Seul le silence m'a répondu. Je me suis assis sur le muret, inquiet. Ma femme m'avait dit que je devais me trouver là ce jour précis, mais personne ne réagissait à mes appels. Peut-être Mme Savin est-elle sortie pour voir le défilé, ai-je pensé ; mais il était possible également que je sois arrivé trop tard et qu'elle eût décidé de ne pas me recevoir. Le chemin de Saint-Jacques se terminait avant même d'avoir commencé.

Soudain, la porte s'est ouverte et une enfant a bondi dans la rue. Je me suis levé aussi d'un saut et, dans un mauvais français, j'ai demandé Mme Savin. La petite fille s'est mise à rire et elle m'a désigné l'intérieur. C'est alors seulement que j'ai compris mon erreur : la porte donnait sur un immense patio, autour duquel se trouvaient de vieilles maisons médiévales bordées de balcons. On m'avait laissé la porte ouverte, et je n'avais même pas osé atteindre la poignée.

Je suis entré en courant et je me suis dirigé vers la maison que la petite fille m'avait montrée. À l'intérieur, une grosse femme d'un certain âge vociférait en basque, s'adressant à un garçon chétif, aux yeux marron et tristes. J'ai attendu que la dispute prenne fin, quand la vieille a envoyé le garçon à la cuisine sous un flot d'injures. Alors seulement elle s'est tournée vers moi et, sans même me demander ce que je voulais, elle m'a conduit – tantôt attentionnée, tantôt me bousculant – au second étage de la petite maison. Une seule pièce était ouverte, un bureau bourré de livres, d'objets, de statues de saint Jacques et de souvenirs du Chemin. Elle a pris un livre dans la bibliothèque et elle est allée s'asseoir derrière l'unique table de la pièce, me laissant debout.

« Vous devez être encore un pèlerin de Saint-Jacques, a-t-elle dit sans détour. Je dois noter votre nom dans le registre de ceux qui font le Chemin. »

Je lui ai donné mon nom et elle a voulu savoir si j'avais apporté les coquilles. Ainsi nommait-on les grandes conques apposées sur le tombeau de l'apôtre en symbole du pèlerinage et qui permettaient aux pèlerins de se reconnaître entre eux [1]. Avant de venir en Espagne, je m'étais rendu au Brésil dans un lieu de pèlerinage, Aparecida do Norte. J'y avais acheté une image de Notre-Dame d'Aparecida montée sur trois coquilles. Je l'ai sortie de mon sac et je l'ai tendue à Mme Savin.

« Joli, mais pas très pratique, a-t-elle objecté en me rendant les coquilles. Elles peuvent se casser en route.

– Elles ne se casseront pas. Et je les porterai sur le tombeau de l'apôtre. »

Mme Savin ne semblait pas avoir beaucoup de temps à me consacrer. Elle m'a donné un petit

---

1. La seule trace que le chemin de Saint-Jacques ait laissée dans la culture française relève justement de ce qui fait la fierté de ce pays, la gastronomie : les coquilles Saint-Jacques.

carnet qui devait faciliter mon hébergement dans les monastères sur le Chemin, elle a apposé un timbre de Saint-Jean-Pied-de-Port pour indiquer où j'avais entrepris le voyage, et elle a dit que je pouvais partir avec la bénédiction de Dieu.

« Mais où est mon guide ? ai-je demandé.

– Quel guide ? » a-t-elle rétorqué, un peu surprise, mais avec une lueur dans le regard.

J'ai compris que j'avais oublié une chose capitale. Pressé d'arriver et d'être accueilli, je n'avais pas dit le Mot ancien, signe de reconnaissance pour ceux qui font partie ou ont fait partie des ordres de la Tradition. J'ai aussitôt corrigé mon erreur et prononcé le Mot. Mme Savin m'a brusquement arraché des mains le carnet qu'elle m'avait remis quelques minutes plus tôt.

« Vous n'en aurez pas besoin », a-t-elle dit, tandis qu'elle retirait une pile de vieux journaux du sommet d'une caisse en carton. « Votre chemin et votre repos dépendent des décisions de votre guide. »

Mme Savin a retiré de la caisse un chapeau et un manteau. Ils avaient l'apparence de vieux vêtements mais étaient très bien conservés. Elle m'a demandé de rester debout au milieu de la pièce et elle a commencé à prier, en silence. Puis elle a posé le manteau sur mes épaules et le chapeau sur ma tête. J'ai remarqué que, sur le chapeau comme

34

sur les épaulettes du manteau, étaient cousues des coquilles. Sans cesser de prier, la vieille dame a attrapé un bourdon dans un coin du bureau et l'a placé dans ma main droite. À ce long bâton de pèlerin était attachée une petite calebasse pour l'eau. J'étais là, vêtu d'un bermuda en jean et d'un tee-shirt portant l'inscription *« I love NY »*, et recouvert du costume médiéval des pèlerins de Compostelle.

La vieille femme s'est approchée de moi. Dans une sorte de transe, les mains à plat sur ma tête, elle a dit :

« Que l'apôtre Jacques t'accompagne et te montre la seule chose qu'il te faut découvrir ; ne marche ni trop vite ni trop lentement, mais toujours en respectant les lois et les nécessités du Chemin ; obéis à celui qui va te guider, même lorsqu'il te donnera l'ordre de tuer, de blasphémer ou de commettre un acte insensé. Tu dois jurer obéissance totale à ton guide. »

J'ai juré.

« L'esprit des anciens pèlerins de la Tradition doit t'accompagner dans ton voyage. Le chapeau te protège du soleil et des mauvaises pensées ; le manteau te protège de la pluie et des mauvaises paroles ; le bourdon te protège des ennemis et des mauvaises actions. Que la bénédiction de Dieu, de saint Jacques et de la Vierge Marie

35

t'accompagne toutes les nuits et tous les jours. Amen. »

Puis elle a repris son comportement habituel : elle a ramassé les vêtements en vitesse et avec une certaine mauvaise humeur, les a reposés dans la caisse, a remis le bourdon et la calebasse dans le coin de la pièce et, après m'avoir appris les mots de passe, elle m'a demandé de partir rapidement, car mon guide m'attendait à un ou deux kilomètres de Saint-Jean-Pied-de-Port.

« Il déteste la fanfare, a-t-elle déclaré. Mais même à deux kilomètres de distance, il doit l'entendre : les Pyrénées sont une excellente caisse de résonance. »

Sans autre commentaire, elle est descendue et elle est retournée à la cuisine tourmenter un peu plus le garçon aux yeux tristes. En sortant, je lui ai demandé ce que je devais faire de la voiture, et elle m'a conseillé de lui laisser les clefs, car quelqu'un viendrait la chercher. Je suis allé prendre dans le coffre mon petit sac à dos bleu auquel était attaché le sac de couchage ; j'ai rangé dans la poche la mieux protégée l'image de Notre-Dame d'Aparecida et les coquilles, je l'ai mis sur mon dos et je suis revenu donner les clefs de voiture à Mme Savin.

« Quittez la ville en suivant cette rue jusqu'à la porte là-bas, au bout des remparts. Et quand vous arriverez à Saint-Jacques-de-Compostelle, récitez pour moi un *Ave Maria*. J'ai parcouru bien souvent ce chemin. Maintenant, je me contente de lire dans les yeux des pèlerins l'excitation que j'éprouve encore mais que je ne peux pleinement vivre à cause de mon âge. Dites-le à saint Jacques. Dites-lui également qu'à un moment je le rencontrerai par un autre chemin, plus direct et moins fatigant. »

J'ai quitté la petite ville en traversant les remparts par la Porte d'Espagne. C'était jadis la route préférée des envahisseurs romains et c'est aussi par là que passèrent les armées de Charlemagne et de Napoléon. J'ai marché en silence, entendant la fanfare au loin et, subitement, dans les ruines d'un village près de Saint-Jean, une intense émotion s'est emparée de moi et mes yeux se sont emplis de larmes : là, dans ces ruines, j'ai pris conscience pour la première fois que mes pieds foulaient l'étrange chemin de Saint-Jacques.

Autour de la vallée, les Pyrénées, colorées par la musique et le soleil matinal, me donnaient la sensation d'un phénomène primitif, comme oublié du genre humain et qu'en aucune manière je ne parvenais à identifier. Cependant, c'était une sensation étrange et forte, et j'ai résolu de presser le pas et d'arriver au plus vite à l'endroit où Mme Savin avait annoncé que le guide m'attendait. Tout en marchant, j'ai enlevé mon tee-shirt et je l'ai rangé dans mon sac à dos. Les bretelles commençaient à meurtrir mes épaules nues ; mes vieilles tennis, en revanche, étaient tellement faites à mes pieds que je ne ressentais aucun inconfort. Au bout de quarante minutes environ, dans un virage qui contournait un gigantesque rocher, je suis arrivé au vieux puits abandonné. Assis par terre, un homme d'une cinquantaine d'années, qui avait les cheveux noirs et l'allure d'un gitan, cherchait quelque chose dans son sac.

« Salut », ai-je prononcé en espagnol, avec la timidité qui me caractérise chaque fois que je rencontre un inconnu. « Tu dois m'attendre. Je m'appelle Paulo. »

L'homme a cessé de fouiller dans le sac et m'a observé de haut en bas. Son regard était froid et il n'a pas semblé surpris de mon arrivée. J'avais moi aussi la vague sensation de le connaître.

« Oui, je t'attendais, mais je ne savais pas que j'allais te rencontrer si vite. Que veux-tu ? »

Un peu déconcerté par la question, j'ai répondu que j'étais celui qu'il allait guider sur la Voie lactée à la recherche de son épée.

« Ce n'est pas la peine, a dit l'homme. Si tu veux, je peux la trouver à ta place. Mais prends une décision tout de suite. »

Je trouvais de plus en plus étrange cette conversation. Cependant, comme j'avais juré une obéissance totale, je me suis préparé à répondre. S'il pouvait trouver l'épée pour moi, il me ferait gagner un temps énorme, et je pourrais retourner bien vite au Brésil auprès des miens et de mes affaires qui ne quittaient pas mes pensées. Ce pouvait être aussi une ruse, mais il n'y avait aucun mal à donner une réponse.

J'ai décidé d'accepter. Et soudain, derrière moi, j'ai entendu une voix dire en espagnol, avec un très fort accent :

« On n'a pas besoin de gravir une montagne pour savoir si elle est élevée. »

C'était le mot de passe. Je me suis retourné et j'ai vu un homme d'une quarantaine d'années, vêtu d'un bermuda kaki et d'une chemise blanche trempée de sueur, qui regardait fixement le gitan. Il avait les cheveux grisonnants et la peau brûlée par le soleil. Dans ma hâte, j'avais oublié les règles les plus élémentaires de protection, et je m'étais jeté corps et âme dans les bras du premier inconnu que j'avais rencontré.

« Le bateau est plus en sécurité quand il est au port ; mais ce n'est pas pour cela qu'ont été construits les bateaux », ai-je répondu au mot de passe. L'homme cependant ne détournait pas son regard du gitan et le gitan ne quittait pas des yeux l'homme. Ils se sont dévisagés sans crainte et sans témérité quelques minutes. Jusqu'au moment où le gitan a jeté le sac par terre avec un sourire dédaigneux et a repris la direction de Saint-Jean-Pied-de-Port.

« Je m'appelle Petrus [1] », a dit le nouvel arrivant, quand le gitan eut disparu derrière l'immense rocher que j'avais contourné quelques minutes auparavant. « La prochaine fois, sois plus prudent. »

Il y avait une intonation sympathique dans sa voix, que je n'avais pas trouvée chez le gitan, ni même chez Mme Savin. Il a ramassé son sac au dos duquel était représentée une coquille. Il en a retiré une bouteille de vin, en a bu une gorgée et me l'a tendue. Après avoir bu, je lui ai demandé qui était le gitan.

« Cette route est une route frontalière très fréquentée par les contrebandiers et par les terroristes réfugiés du Pays basque espagnol, m'a expliqué Petrus. La police ne vient presque jamais par ici.

– Ce n'est pas une réponse. Vous vous êtes regardés tous les deux comme de vieilles connaissances. Et j'ai l'impression de le connaître aussi, c'est pour cela que j'ai été tellement audacieux. »

---

1. En réalité, Petrus m'a fait part de son véritable prénom. Mais, pour protéger sa vie privée, j'ai modifié son nom, comme celui d'autres personnages du chemin de Saint-Jacques.

Petrus a ri et dit que nous devions nous mettre en route. J'ai pris mes affaires et nous avons marché en silence. Mais le rire de Petrus m'avait permis de comprendre qu'il pensait la même chose que moi : nous avions rencontré un démon.

Nous avons avancé sans mot dire pendant un certain temps. Mme Savin avait tout à fait raison : même à une distance de presque trois kilomètres, on pouvait encore entendre le son de la fanfare, qui ne cessait de jouer. Je voulais poser de nombreuses questions à Petrus sur sa vie, son travail, ce qui l'avait mené jusqu'ici. Je savais, cependant, que nous avions encore sept cents kilomètres à parcourir ensemble, et que viendrait le moment où toutes ces questions obtiendraient réponse. Mais le gitan ne me sortait pas de l'esprit et, finalement, j'ai rompu le silence.

« Petrus, je pense que le gitan était le démon.

– Oui, c'était le démon. » Quand il m'a donné cette confirmation, j'ai éprouvé un mélange de terreur et de soulagement. « Mais ce n'est pas le démon que tu as connu dans la Tradition. »

Dans la Tradition, le démon est un esprit qui n'est ni bon ni mauvais ; il est considéré comme le gardien de la plupart des secrets accessibles à l'homme, et il détient force et pouvoir sur les choses matérielles. Ange déchu, il s'identifie à l'espèce humaine et il est toujours prêt à des pactes et à des échanges de faveurs.

J'ai demandé alors quelle était la différence entre le gitan et les démons de la Tradition.

« Nous en rencontrerons d'autres sur le chemin, a dit Petrus en riant. Tu comprendras tout seul. Mais, pour te donner une idée, essaie de te rappeler ta conversation avec le gitan. »

J'ai repassé les deux seules phrases que j'avais échangées avec lui. Il avait dit qu'il m'attendait et il avait affirmé qu'il irait chercher l'épée pour moi.

Alors Petrus m'a expliqué que c'étaient deux phrases qui convenaient parfaitement dans la bouche d'un voleur surpris en train de voler : il tente de gagner du temps et d'obtenir des faveurs tout en préparant sa fuite. Les deux phrases pouvaient avoir un sens caché plus profond, ou bien les mots reflétaient exactement sa pensée.

« Laquelle des deux hypothèses est la bonne ?

– Les deux sont exactes. Ce pauvre voleur, pendant qu'il se défendait, a capté dans l'air les mots qui devaient t'être dits. Il a pensé qu'il devenait intelligent, et il était l'instrument d'une force supérieure. S'il s'était enfui quand je suis arrivé, cette conversation n'aurait pas lieu d'être. Mais il m'a affronté, et j'ai lu dans ses yeux le nom d'un démon que tu vas rencontrer en chemin. »

Pour Petrus, la rencontre était un présage favorable, dès lors que le démon s'était révélé assez tôt.

« Cependant, ne te préoccupe pas de lui maintenant, parce que, je te l'ai déjà dit, il ne sera pas le seul. Il est peut-être le plus important, mais il ne sera pas le seul. »

Nous avons poursuivi notre marche. La végétation, jusque-là un peu désertique, se composait maintenant d'arbustes disséminés çà et là. Peut-être valait-il mieux suivre le conseil de Petrus et laisser les choses se faire. De temps en temps, il commentait un événement historique qui s'était produit aux endroits où nous passions. J'ai vu la maison dans laquelle une reine avait dormi la veille de sa mort, et une petite chapelle incrustée dans les rochers, ermitage d'un saint homme dont les rares habitants juraient qu'il pouvait faire des miracles.

« Les miracles sont très importants, tu ne trouves pas ? » a-t-il demandé.

J'ai répondu que oui, mais que jamais je n'avais vu un grand miracle. Mon apprentissage de la Tradition avait été très intellectuel. Je croyais que, mon épée une fois récupérée, alors oui, je serais capable d'accomplir à mon tour les grandes choses que réalisait mon Maître.

« Mais ce ne sont pas des miracles, parce qu'elles ne changent pas les lois de la nature. Ce que fait mon Maître, c'est utiliser ces forces pour... »

Je n'ai pas pu terminer ma phrase, parce que je ne trouvais aucune explication au fait que le Maître réussît à matérialiser des esprits, à changer des objets de place sans les toucher et, comme je l'avais vu plus d'une fois, à ouvrir des trouées de ciel bleu au beau milieu d'après-midi assombris de nuages.

« Peut-être fait-il cela pour te convaincre qu'il détient la connaissance et le pouvoir, a rétorqué Petrus.

-- Peut-être, » ai-je approuvé sans conviction.

Nous nous sommes assis sur une pierre car Petrus me dit qu'il détestait fumer en marchant. Selon lui, les poumons absorbaient beaucoup plus de nicotine, et la fumée lui donnait des nausées.

« C'est pour cela que ton Maître t'a refusé l'épée. Parce que tu ne connais pas la raison pour laquelle il accomplit des prodiges. Parce que tu as oublié que le chemin de la connaissance est un chemin ouvert à tous les hommes, aux gens ordinaires. Au cours de notre voyage, je vais t'enseigner quelques exercices et certains rituels connus comme les Pratiques de RAM. N'importe qui, à n'importe quel moment de son existence, a eu accès à l'une d'elles au moins. Quiconque les cherche avec patience et perspicacité peut les découvrir toutes, sans exception, dans les leçons que la vie nous offre.

« Les Pratiques de RAM sont si simples que les gens comme toi, habitués à compliquer la vie, ne leur accordent souvent aucune valeur. Mais ce sont elles, ainsi que trois autres ensembles de pratiques, qui rendent l'homme capable d'obtenir tout, absolument tout ce qu'il désire.

« Jésus loua le Père quand ses disciples commencèrent à réaliser miracles et guérisons, et il Le remercia parce qu'Il avait caché ces choses aux savants et les avaient révélées aux hommes simples. Finalement, si l'on croit en Dieu, on doit aussi croire que Dieu est juste. »

Petrus avait raison. Permettre que seuls puissent avoir accès à la véritable connaissance les gens instruits, disposant de temps et d'argent pour acheter des livres coûteux serait une injustice divine.

« Le vrai chemin de la sagesse se reconnaît à trois éléments, a expliqué Petrus. D'abord, il doit contenir Agapè, je t'en parlerai plus tard ; ensuite, il doit avoir une application pratique dans ta vie, sinon la sagesse devient inutile et pourrit comme une épée qui ne sert jamais. Enfin, ce doit être un chemin que n'importe qui puisse parcourir. Comme celui-ci même, le chemin de Saint-Jacques. »

Nous avons marché tout l'après-midi, et ce n'est que lorsque le soleil a commencé à disparaître derrière les montagnes que Petrus a décidé de s'arrêter de nouveau. Autour de nous, les pics les plus élevés des Pyrénées brillaient encore dans la lumière des derniers rayons du jour.

Petrus m'a demandé de nettoyer une petite surface sur le sol et de m'agenouiller.

« La première Pratique de RAM consiste à renaître. Tu devras l'exécuter pendant sept jours consécutifs, en essayant de revivre d'une façon différente ton premier contact avec le monde. Tu sais à quel point il a été difficile de tout abandonner et de décider de parcourir le chemin de Saint-Jacques à la recherche de ton épée. Si cette difficulté s'est présentée, c'est que tu étais prisonnier du passé. Tu as subi un échec et tu redoutes une nouvelle défaite; tu as obtenu quelque chose, et tu as peur de le perdre. Cependant, un sentiment plus fort que tout a prévalu : le désir de trouver ton épée. Et tu as décidé de courir le risque. »

J'ai répondu que oui, mais que je n'étais pas débarrassé des préoccupations auxquelles il avait fait allusion.

« Cela n'a pas d'importance. L'exercice, peu à peu, te libérera des charges que tu as toi-même créées dans ta vie. »

Et Petrus m'a enseigné la première Pratique de RAM : L'EXERCICE DE LA SEMENCE.

46

L'EXERCICE DE LA SEMENCE

Agenouille-toi sur le sol. Ensuite, assieds-toi sur les talons et baisse-toi, de manière à ce que ta tête touche tes genoux. Tends les bras en arrière. Tu es en position fœtale. Maintenant, détends-toi et oublie toutes les tensions. Respire calmement et profondément. Peu à peu, tu sens que tu es une minuscule semence entourée du confort de la terre. Tout est chaud et délicieux à la ronde. Tu dors d'un sommeil tranquille.

Soudain, un doigt frémit. La graine ne veut plus être semence, elle veut naître. Lentement, tu commences à bouger les bras, puis ton corps va se redresser jusqu'à ce que tu sois assis sur les talons. Alors tu vas te lever et, lentement, lentement, te mettre à genoux, le dos bien droit. Pendant tout ce temps, imagine que tu es une semence qui se transforme en graine et brise peu à peu la terre.

Le moment est venu de fendre complètement la terre. Tu te lèves lentement, en posant un pied, puis l'autre, en luttant contre le déséquilibre comme une graine lutte pour trouver son espace. Jusqu'à ce que tu sois debout. Représente-toi le champ autour de toi, le soleil, l'eau, le vent et les oiseaux : tu es une graine qui commence à pousser. Tu lèves, doucement, les bras vers le ciel. Puis tu t'étires de plus en plus, comme si tu voulais attraper le soleil immense qui brille au-dessus de toi, te donne des forces et t'attire. Ton corps se fait plus rigide, tes muscles se contractent, tandis que tu te sens grandir, grandir jusqu'à devenir immense. La tension augmente, au point de devenir douloureuse, insupportable. Quand tu n'en peux plus, tu pousses un cri et tu ouvres les yeux.

Répète cet exercice sept jours de suite, toujours à la même heure.

« Fais-le maintenant pour la première fois »,
a-t-il dit.

J'ai posé la tête entre mes genoux, j'ai respiré
profondément et j'ai commencé à me détendre.
Mon corps a obéi docilement – peut-être parce
que nous avions beaucoup marché pendant la
journée et que j'étais épuisé. Je me suis mis à
écouter le bruit de la terre, un bruit sourd,
rauque, et peu à peu je me suis transformé en
semence. Je ne pensais pas. Tout était sombre et
j'étais endormi au fond de la terre. Soudain, quelque chose a bougé. C'était une partie de moi, une
minuscule partie de moi qui voulait me réveiller,
qui disait que je devais sortir de là parce qu'il y
avait autre chose « là-haut ». Je croyais dormir et
cette partie insistait. Elle a commencé par faire
remuer mes doigts, puis mes doigts ont animé
mes bras. Pourtant ce n'étaient pas des doigts ni
des bras, mais une petite graine qui luttait pour
surmonter la force de la terre et se diriger « là-
haut ». J'ai senti que mon corps commençait à
suivre le mouvement de mes bras. Chaque
seconde semblait une éternité, mais la semence
avait besoin de naître, elle voulait savoir ce que
c'était « là-haut ». Avec une immense difficulté,
ma tête, puis mon corps se sont redressés. Tout
était trop lent et il me fallait lutter contre la force
qui m'attirait vers le fond de la terre, où jusque-là

je dormais tranquillement d'un sommeil éternel. Mais j'ai réussi, et finalement j'ai brisé cette force et je me suis levé. J'avais fendu la terre et j'étais entouré de ce « quelque chose là-haut ».

C'était la campagne. J'ai senti la chaleur du soleil, entendu le bourdonnement des insectes, le murmure d'une rivière qui coulait au loin. Je me suis lentement relevé, les yeux clos, et, à tout moment, je croyais que j'allais perdre l'équilibre et retourner à la terre. Pourtant, je grandissais toujours. Mes bras s'écartaient et mon corps se raidissait. J'étais là, en train de renaître, souhaitant que ce soleil immense, qui brillait et me demandait de croître encore, de m'étirer pour l'étreindre de toutes mes branches, me baignât au-dedans et au-dehors. J'ai étiré les bras à l'extrême, tous les muscles de mon corps se sont mis à me faire mal, et j'ai senti que j'avais mille mètres de hauteur, que je pouvais enlacer les montagnes. Mon corps s'est étendu, étendu, jusqu'au moment où la douleur musculaire est devenue si intense que je ne l'ai plus supportée et que j'ai poussé un cri.

J'ai ouvert les yeux et j'ai vu Petrus devant moi, qui souriait en fumant une cigarette. La lueur du jour n'avait pas encore disparu, mais j'ai découvert, surpris, qu'il n'y avait pas autant de soleil que je l'avais imaginé. Je lui ai demandé s'il vou-

lait que je lui décrive mes sensations. Il m'a
répondu négativement.

« Ce sont des choses très personnelles, tu dois
les garder pour toi. Comment pourrais-je les
juger? Elles t'appartiennent. »

Il a ajouté dit que nous allions dormir là. Nous
avons fait un petit feu, bu le reste de la bouteille
et j'ai préparé quelques sandwiches avec un pâté
de foie gras que j'avais acheté avant d'arriver à
Saint-Jean. Petrus est allé jusqu'au ruisseau qui
coulait à proximité, il en a rapporté des poissons
qu'il a faits griller sur le feu. Puis chacun s'est
allongé dans son sac de couchage.

Parmi toutes les sensations que j'ai éprouvées
dans ma vie, je ne peux oublier cette première
nuit sur le chemin de Saint-Jacques. Il faisait
froid, malgré l'été, mais j'avais encore dans la
bouche le goût du vin que Petrus avait apporté.
J'ai regardé le ciel et la Voie lactée qui montrait
l'immense chemin que nous devions parcourir.
En d'autres circonstances, cette immensité aurait
été la cause d'une grande angoisse et j'aurais eu
terriblement peur de n'être pas capable de réussir, de n'être pas à la hauteur. Mais aujourd'hui,
j'étais une semence et j'étais né de nouveau.
J'avais découvert que, malgré le confort de la terre

et le sommeil dont je dormais, la vie « là-haut »
était beaucoup plus belle. Je pouvais naître
encore autant de fois que je voulais, jusqu'à ce
que mes bras soient assez grands pour étreindre la
terre d'où j'étais venu.

Le Créateur et la Créature

Pendant six jours, nous avons marché à travers les Pyrénées, grimpant et descendant les montagnes. Petrus me faisait répéter l'exercice de la Semence chaque fois que les rayons du soleil n'éclairaient plus que les pics les plus élevés. Le troisième jour, un poteau indicateur en ciment nous apprit que nos pieds foulaient désormais la terre d'Espagne. Petrus a peu à peu livré quelques éléments de sa vie privée ; j'ai découvert qu'il était italien et dessinateur industriel [1]. Je lui ai demandé s'il était préoccupé par tout ce à quoi il

1. Colin Wilson affirme qu'il n'y a pas de hasard dans ce monde, et une fois encore j'ai pu confirmer la véracité de cette affirmation. Un après-midi, je feuilletais des revues dans le hall de l'hôtel où j'étais descendu à Madrid, quand un reportage sur le prix Prince des Asturies a attiré mon attention, parce qu'un journaliste brésilien, Roberto Marinho, était l'un des lauréats. En observant plus attentivement la photo du banquet, j'ai sursauté : à l'une des tables, élégant dans son smoking, se trouvait Petrus, cité dans la légende comme « l'un des plus célèbres *designers* européens du moment ».

avait dû renoncer pour guider un pèlerin en quête de son épée.

« J'aimerais que tu comprennes une chose, a-t-il répliqué. Je ne te guide pas jusqu'à ton épée. Il appartient à toi seul de la trouver. Je suis ici pour te conduire sur le chemin de Saint-Jacques et t'enseigner les Pratiques de RAM. La façon dont tu les appliqueras à la recherche de ton épée ne regarde que toi.

– Tu n'as pas répondu à ma question.

– Lorsque tu voyages, tu fais une expérience très pratique de l'acte de renaissance. Tu te trouves devant des situations complètement nouvelles, le jour passe plus lentement et, la plupart du temps, tu ne comprends pas la langue que parlent les gens. Exactement comme un enfant qui vient de sortir du ventre de sa mère. Dans ces conditions, tu te mets à accorder beaucoup plus d'importance à ce qui t'entoure, parce que ta survie en dépend. Tu deviens plus accessible aux gens, car ils pourront t'aider dans des situations difficiles. Et tu reçois la moindre faveur des dieux avec une grande allégresse, comme s'il s'agissait d'un épisode dont on doit se souvenir sa vie restante.

« En même temps, comme tout est nouveau, tu ne distingues dans les choses que la beauté et tu es plus heureux de vivre. C'est pourquoi le pèlerinage religieux a toujours été l'une des manières les plus objectives de parvenir à l'illumination. Pour se corriger de ses péchés, il faut marcher toujours plus avant, en s'adaptant aux situations nouvelles et en recevant en échange les milliers de bénédictions que la vie accorde généreusement à ceux qui les lui demandent.

– Tu crois que je pourrais m'inquiéter à cause d'une demi-douzaine de projets que je n'ai pas réalisés pour être ici avec toi ? »

Petrus a détourné les yeux et j'ai suivi son regard. Un troupeau de chèvres paissait à flanc de montagne. L'une d'elles, plus audacieuse, se trouvait sur la petite saillie d'un rocher très élevé ; je me demandais comment elle était arrivée jusque-là et comment elle pourrait s'en sortir. Mais au moment où je me posais ces questions, la chèvre a sauté et, prenant appui sur des points invisibles à mes yeux, elle a rejoint ses compagnes. Tout, alentour, reflétait une paix dynamique, la paix d'un monde qui pouvait encore beaucoup croître et inventer, et qui savait que pour cela il fallait continuer à marcher, toujours marcher. Même si un violent tremblement de terre ou un orage meurtrier me donnent parfois l'impression que la nature est cruelle, j'ai compris que ce sont les vicissitudes du chemin. La nature aussi voyageait, à la recherche de l'illumination.

« Je suis très content de me trouver ici, a dit Petrus. Parce que le travail que je n'ai pas fait ne compte plus, et les travaux que je réaliserai par la suite seront bien meilleurs. »

Lorsque j'avais lu l'œuvre de Carlos Castañeda, j'avais beaucoup désiré rencontrer le vieux sorcier indien, don Juan. En voyant Petrus regarder les montagnes, j'ai eu le sentiment de me trouver avec quelqu'un qui lui ressemblait comme un frère.

L'après-midi du septième jour, après avoir traversé une forêt de pins, nous avons atteint le sommet d'un tertre. Là, Charlemagne avait prié pour la première fois en terre d'Espagne. Sur un monument ancien, une inscription en latin mentionnait que, pour commémorer cet événement, le voyageur dise un *Salve Regina*. Nous avons fait tous deux ce que préconisait l'inscription. Puis Petrus m'a demandé de réaliser l'exercice de la Semence pour la dernière fois.

Il y avait beaucoup de vent et il faisait très froid. J'ai objecté qu'il était encore tôt – il devait être, au plus, trois heures de l'après-midi – mais il m'a intimé de ne pas discuter et de m'exécuter immédiatement.

Je me suis agenouillé sur le sol et j'ai entrepris

l'exercice. Tout s'est passé normalement, jusqu'au moment où j'ai tendu les bras et commencé à imaginer le soleil. Quand je suis arrivé à ce point, le soleil gigantesque brillant devant moi, j'ai senti que j'entrais dans une grande extase. Mes souvenirs d'homme s'éteignaient lentement, et je n'étais plus en train de faire un exercice, j'étais devenu arbre. J'étais heureux et satisfait ainsi. Le soleil brillait et tournait sur lui-même – ce qui ne s'était jamais produit auparavant. Je suis resté là, les branches étendues, les feuilles secouées par le vent, désireux de ne plus jamais quitter cette position. Jusqu'au moment où quelque chose m'a touché, et tout est devenu obscur pendant une fraction de seconde.

J'ai immédiatement rouvert les yeux. Petrus m'avait giflé et me tenait par les épaules.

« N'oublie pas tes objectifs! a-t-il lancé avec colère. N'oublie pas que tu as encore beaucoup à apprendre avant de trouver ton épée! »

Je me suis assis sur le sol, tremblant sous l'effet du vent glacé.

« Cela arrive toujours? ai-je demandé.

– Presque toujours. Surtout avec les gens comme toi, qui sont fascinés par les détails et oublient l'objet de leur quête. »

Petrus a pris un pull-over dans son sac et l'a mis. J'ai enfilé un autre tee-shirt par-dessus mon

I love NY -- je n'aurais jamais pensé que, pendant l'été que les journaux avaient qualifié de « plus chaud de la décennie », il pût faire aussi froid. Les deux épaisseurs ont un peu coupé le vent, mais j'ai demandé à Petrus de marcher plus vite, afin que je puisse me réchauffer.

Le chemin empruntait maintenant une pente très facile. J'ai cru que le froid que je ressentais venait de notre alimentation trop frugale, car nous ne mangions que des poissons et des fruits des bois [1]. Mais Petrus m'a expliqué que nous avions froid parce que nous avions atteint le point le plus élevé de notre trajet dans les montagnes.

Nous n'avions pas parcouru plus de cinq cents mètres quand soudain, à un détour du chemin, le paysage a changé. Une immense plaine étendait devant nous ses ondulations. À gauche, dans la descente, à moins de deux cents mètres, un petit village nous attendait, avec ses cheminées qui fumaient. J'ai voulu accélérer, mais Petrus m'a retenu.

« Je pense que c'est le meilleur moment pour t'enseigner la deuxième Pratique de RAM », a-t-il dit en s'asseyant sur le sol et en me faisant signe de l'imiter.

Je me suis assis à contrecœur. La vision de la

---

1. C'est un fruit rouge dont je ne connais pas le nom, mais dont la seule vue aujourd'hui me soulève le cœur tellement j'en ai mangé au cours de mon voyage dans les Pyrénées.

petite ville et de la fumée s'élevant de ses cheminées m'avait troublé. Soudain, je me suis rendu
compte que nous étions depuis une semaine au
milieu de la campagne, sans voir personne, dormant à la belle étoile et marchant toute la journée.
Je n'avais plus de cigarettes et j'étais obligé de
fumer l'horrible tabac à rouler de Petrus. Dormir
dans un duvet et manger du poisson sans assai-
sonnement, j'adorais cela quand j'avais vingt ans
mais, sur le chemin de Saint-Jacques, cela exigeait une grande résignation. J'ai attendu impa-
tiemment que Petrus finisse de rouler et de fumer
sa cigarette en silence, tout en rêvant à la chaleur
d'un verre de vin dans un bar que j'apercevais à
moins de cinq minutes de marche. Bien emmitou-
flé dans son pull-over, Petrus était tranquille et
regardait distraitement la plaine immense.

« Comment trouves-tu la traversée des Pyrénées ? a-t-il demandé, peu après.

— Très belle, ai-je répondu sans vouloir prolon-
ger la conversation.

— Elle a dû être très belle, parce que nous avons
mis six jours à parcourir un trajet que l'on pouvait
faire en un seul. »

Je ne l'ai pas cru. Il a pris la carte et m'a montré
la distance : dix-sept kilomètres. Même en marchant lentement à cause des montées et des des-
centes, ce chemin pouvait être couvert en six
heures.

« Tu es tellement obstiné d'atteindre ton épée que tu as oublié le plus important : il faut marcher jusqu'à elle. En regardant fixement vers Saint-Jacques, que tu ne peux voir d'ici, tu n'as pas remarqué que nous étions passés à certains endroits quatre ou cinq fois de suite, par des voies différentes. »

Maintenant que Petrus le disait, je me suis rendu compte que, sur le parcours, le mont Itchasheguy, le plus élevé de la région, se trouvait tantôt sur ma droite, tantôt sur ma gauche. Même si je l'avais remarqué à l'occasion, je n'étais pas parvenu à l'unique conclusion possible : nous avions fait l'aller-retour à plusieurs reprises.

« Je n'ai rien fait d'autre qu'emprunter des routes différentes, en profitant des chemins frayés dans la forêt par les contrebandiers. Mais tout de même, tu aurais dû t'en apercevoir. Cela s'est produit parce que l'acte de marcher n'avait pas d'importance pour toi. Seul comptait ton désir d'arriver.

-- Et si je m'en étais aperçu ?

– Nous aurions mis sept jours de toute façon, parce que les Pratiques de RAM le veulent ainsi. Mais tu aurais profité des Pyrénées d'une autre manière. »

J'étais tellement surpris que j'en ai oublié le froid et le village.

« Quand on voyage vers un objectif, a repris Petrus, il est très important de prêter attention au chemin. C'est toujours le chemin qui nous enseigne la meilleure façon d'y parvenir, et il nous enrichit à mesure que nous le parcourons. Si l'on compare cela à une relation sexuelle, je dirais que ce sont les caresses préliminaires qui déterminent l'intensité de l'orgasme. Tout le monde sait cela.

« C'est ainsi quand on a un objectif dans la vie. Il peut devenir meilleur ou pire, cela dépend du chemin que nous choisissons pour l'atteindre et de la manière dont nous le parcourons. C'est pourquoi la deuxième Pratique de RAM est si importante : elle consiste à puiser, dans ce que nous avons l'habitude de regarder tous les jours, les secrets que la routine nous empêche de voir. »

Et Petrus m'a enseigné L'EXERCICE DE LA VITESSE.

« Dans les villes, au milieu de nos activités quotidiennes, cet exercice doit être réalisé en vingt minutes. Mais comme nous sommes sur l'étrange chemin de Saint-Jacques, nous allons mettre une heure pour arriver jusqu'au village. »

Le froid, que j'avais oublié, est revenu, et j'ai regardé Petrus d'un air découragé. Mais il ne m'a pas prêté attention : il a pris son sac et nous avons commencé à parcourir ces deux cents mètres avec une lenteur désespérante.

L'EXERCICE DE LA VITESSE

Marche pendant vingt minutes deux fois moins vite que ton allure habituelle. Fais attention à tous les détails, aux gens et aux paysages autour de toi.

L'heure la plus indiquée pour réaliser cet exercice se situe après le déjeuner.

Répète l'exercice durant sept jours.

Au début, je ne regardais que la taverne, une vieille bâtisse à deux étages avec une enseigne en bois accrochée au-dessus de la porte. Nous étions si près que je pouvais même lire la date de construction de l'immeuble : 1652. Nous avancions, mais il semblait que nous n'avions pas changé de place. Petrus mettait un pied devant l'autre avec une extrême lenteur et je l'imitais. J'ai pris ma montre dans mon sac et je l'ai mise à mon poignet.

« Ce sera encore pire, a-t-il dit, parce que le temps ne coule pas toujours au même rythme. C'est nous qui déterminons le rythme du temps. »

Je me suis mis à regarder ma montre sans arrêt et j'ai compris qu'il avait raison. Plus je l'examinais, plus les minutes passaient lentement. J'ai décidé de suivre son conseil et j'ai rangé la montre dans mon sac. J'ai essayé de prêter attention au paysage, à la plaine, aux pierres que mes souliers foulaient, mais je regardais à tout moment vers la taverne, et j'avais la conviction que nous n'avions pas bougé. J'ai eu l'idée de me raconter mentalement des histoires mais cet exercice me rendait si nerveux que je ne parvenais pas à me concentrer. Lorsque, n'y tenant plus, j'ai ressorti la montre du sac, onze minutes seulement s'étaient écoulées.

« Ne fais pas de cet exercice une torture, parce

63

qu'il n'est pas conçu pour cela, a dit Petrus. Essaie de tirer du plaisir d'une vitesse à laquelle tu n'es pas habitué. En effectuant d'une autre manière des gestes routiniers, tu permets à un homme nouveau de se développer en toi. Enfin, c'est toi qui décides. »

La gentillesse de cette dernière phrase m'a un peu calmé. Si c'était moi qui décidais que faire, il valait mieux tirer profit de la situation. J'ai respiré profondément et j'ai évité de réfléchir. J'ai éveillé en moi un état délicieux, comme si le temps était un objet lointain qui ne m'intéressait pas. De plus en plus calme, j'ai commencé à porter un autre regard sur ce qui m'entourait. L'imagination, rebelle lorsque j'étais tendu, s'est mise à fonctionner à mon avantage. Je regardais le village en face de moi et je lui inventais une histoire : comment il avait été construit, les pèlerins qui étaient passés par là, le bonheur de rencontrer des gens et de trouver l'hospitalité, après le vent froid des Pyrénées. À un moment, j'ai cru percevoir au sein du village une présence forte, mystérieuse et sage. Mon imagination a empli la plaine de chevaliers et de batailles. Je pouvais apercevoir leurs épées luisant au soleil et entendre leurs cris de guerre. Le village n'était plus seulement un endroit où réchauffer mon âme de vin et mon corps sous une couverture : c'était une borne historique, l'ouvrage d'hommes héroïques qui avaient tout abandonné pour s'installer dans ces lieux solitaires. Le monde était là, autour de moi, et j'ai compris que je lui avais prêté attention très peu souvent.

Quand je m'en suis rendu compte, nous étions à la porte de la taverne et Petrus m'a invité à entrer.

« J'offre le vin, a-t-il dit. Et nous allons nous coucher tôt, demain je dois te présenter un grand mage. »

J'ai dormi d'un sommeil lourd et sans rêves. Tandis que le jour commençait à se répandre par les deux seules rues du village de Roncevaux, Petrus a frappé à la porte de ma chambre. Nous étions logés au second étage de la taverne, qui faisait également office d'hôtel.

Nous avons pris du café noir, du pain et de l'huile d'olive, et nous sommes sortis. Une brume épaisse planait sur l'endroit. Je me suis aperçu que Roncevaux n'était pas exactement un village, comme je l'avais d'abord pensé ; à l'époque des grands pèlerinages sur le Chemin, c'était le plus puissant monastère de la région, directement relié à des territoires qui s'étendaient jusqu'à la frontière de la Navarre. Il en avait conservé les caractéristiques : ses quelques bâtiments faisaient partie d'un collège de religieux. La seule construction de caractère laïque était la taverne où nous étions descendus.

Nous avons marché à travers le brouillard et nous sommes entrés dans l'église collégiale. Vêtus de leurs habits sacerdotaux blancs, plusieurs prêtres priaient lors de la première messe de la matinée. Je ne comprenais pas un mot car la messe était dite en basque. Petrus s'est assis sur un banc du fond et m'a demandé de rester près de lui.

L'église était immense et contenait des objets d'art d'une valeur inestimable. Petrus m'a expliqué tout bas qu'elle avait été construite grâce à des donations de rois et de reines du Portugal, d'Espagne, de France et d'Allemagne, dans un endroit préalablement désigné par l'empereur Charlemagne. Sur l'autel, la Vierge de Roncevaux, tout en argent massif et le visage en bois précieux, tenait dans ses mains un bouquet de fleurs constitué de pierreries. Le parfum de l'encens, la construction gothique, les prêtres vêtus de blanc et leurs cantiques me firent entrer dans un état proche de la transe dont j'avais fait l'expérience au cours des rituels de la Tradition.

« Et le mage ? » ai-je demandé à Petrus, me souvenant de ses propos de la veille.

Il a désigné d'un signe de tête un prêtre d'âge moyen, maigre et portant des lunettes, assis près des autres moines sur l'un des longs bancs qui bordaient l'autel. Un mage qui était aussi un prêtre ! J'ai souhaité que la messe se terminât rapidement mais, comme Petrus me l'avait exposé la veille, c'est nous qui déterminons le rythme du temps : mon anxiété a fait durer la cérémonie religieuse plus d'une heure.

La messe terminée, Petrus m'a laissé seul sur le banc et s'est retiré en empruntant la porte par laquelle les prêtres étaient sortis. Je suis resté à contempler l'église, songeant que je devais dire une oraison, mais je ne parvenais à me concentrer sur rien. Les images semblaient lointaines, prisonnières d'un passé qui ne reviendrait plus, comme jamais ne reviendrait l'âge d'or du chemin de Saint-Jacques.

Petrus est apparu à la porte et, sans un mot, m'a fait signe de le suivre.

Nous sommes arrivés dans un jardin intérieur du couvent, qu'entourait un cloître. Au centre, sur la margelle de la fontaine, le prêtre aux lunettes nous attendait.

« Padre Jordi, voici un pèlerin », a dit Petrus en me présentant.

Le prêtre m'a tendu la main et je l'ai salué. Nous nous sommes tus. J'attendais que quelque chose se passât, mais je n'entendais que le chant des coqs au loin et le cri des mouettes à la recherche de leurs proies quotidiennes. Le prêtre me regardait, impassible – un regard proche de celui de Mme Savin après que j'eus prononcé le Mot ancien.

Finalement, après un silence long et pesant, le padre Jordi a parlé.

« Il semble que vous ayez gravi trop tôt les degrés de la Tradition, mon cher. »

J'ai répondu que j'avais trente-huit ans et que j'avais réussi toutes les ordalies [1].

« Sauf une, la dernière et la plus importante, a-t-il continué, me fixant toujours d'un regard inexpressif. Et sans elle, tout ce que vous avez appris ne signifie plus rien.

– C'est pourquoi je fais le chemin de Saint-Jacques.

– Ce n'est pas une garantie. Venez avec moi. »

Petrus est resté dans le jardin et j'ai suivi le Padre Jordi. Nous avons traversé les cloîtres, nous

---

1. Les ordalies sont des épreuves rituelles dans lesquelles interviennent non seulement l'application du disciple, mais aussi les présages qui apparaissent durant leur exécution. L'origine de ce terme remonte à l'époque du Saint-Office (l'Inquisition).

sommes passés à l'endroit où était enterré un roi, Sanche le Fort, et nous nous sommes arrêtés dans une petite chapelle, en retrait des bâtiments principaux qui constituent le monastère de Roncevaux.

À l'intérieur il n'y avait presque rien, juste une table, un livre et une épée. Mais ce n'était pas la mienne.

Le Padre Jordi est allé s'asseoir derrière la table, me laissant debout. Puis il a pris quelques herbes et les a fait brûler, ce qui a parfumé l'atmosphère. La situation me rappelait de plus en plus la rencontre avec Mme Savin.

« D'abord, je vais vous donner un avertissement, a annoncé le Padre Jordi. La *rota jacobea* (la route de saint Jacques) n'est que l'un des quatre chemins. C'est le chemin du Pique. Il peut vous apporter du pouvoir, mais cela n'est pas suffisant.

— Quels sont les trois autres ?

— Vous en connaissez au moins deux : le chemin de Jérusalem, qui est le chemin du Cœur, ou du Graal, et vous apportera la capacité de faire des miracles ; et le chemin de Rome, le chemin du Trèfle, qui vous permettra de communiquer avec les autres mondes.

— Il ne manque que le chemin du Carreau, pour compléter les quatre couleurs des cartes », ai-je dit en plaisantant.

Le Padre Jordi a ri.

« Exactement. C'est le chemin secret et, si vous le réalisez un jour, vous ne pourrez le raconter à personne. Pour le moment, laissons cela de côté. Où sont vos coquilles ? »

J'ai ouvert mon sac à dos et j'ai sorti les coquilles et l'image de Notre-Dame d'Aparecida. Il les a posées sur la table. Il a tendu les mains au-dessus et s'est concentré. Il m'a demandé de faire de même. Le parfum dans l'air s'accentuait. Aussi bien le prêtre que moi avions les yeux ouverts et soudain j'ai constaté qu'était en train de se reproduire le phénomène que j'avais vu à Itatiaia : les coquilles brillaient d'une lumière qui n'éclaire pas. L'éclat est devenu de plus en plus intense, et j'ai entendu une voix mystérieuse, sortant de la gorge du Padre Jordi, dire :

« Où que se trouve ton trésor, là se trouvera ton cœur. »

C'était une phrase de la Bible. La voix a poursuivi :

« Et où que se trouve ton cœur, là se trouvera le berceau de la seconde venue du Christ ; comme ces coquilles, le pèlerin sur la route de saint Jacques n'est qu'une coque. Si la coque, qui est faite de vie, se brise, apparaît la Vie, qui est faite d'Agapè. »

Il a retiré ses mains et les coquilles ont cessé de

briller. Puis il a écrit mon nom dans le livre qui se trouvait sur la table. Sur tout le chemin de Saint-Jacques, je n'ai vu que trois livres dans lesquels a été écrit mon nom : celui de Mme Savin, celui du Padre Jordi, et le livre du Pouvoir, où plus tard j'allais moi-même écrire mon nom.

« C'est terminé. Vous pouvez partir avec la bénédiction de la Vierge de Roncevaux et de saint Jacques de l'Épée. »

« La route de saint Jacques est marquée par des points jaunes, disséminés à travers toute l'Espagne », a expliqué le prêtre, tandis que nous retournions à l'endroit où était resté Petrus. « Si, à un moment quelconque, vous vous perdez, cherchez ces marques, sur les arbres, les pierres, les panneaux de signalisation, et vous serez en mesure de trouver un lieu sûr.

– J'ai un bon guide.

– Essayez de compter surtout sur vous-même. Pour ne pas aller et venir pendant six jours au beau milieu des Pyrénées. »

Ainsi, le prêtre connaissait l'histoire.

Nous avons rejoint Petrus et nous avons pris congé. Nous avons quitté Roncevaux le matin, et le brouillard avait déjà complètement disparu. Un chemin droit et plat s'étendait devant nous et j'ai commencé à rechercher les marques jaunes dont avait parlé le Padre Jordi. Mon sac à dos était un peu plus lourd parce que j'avais acheté une bouteille de vin à la taverne, bien que Petrus m'eût dit que ce n'était pas nécessaire. À partir de Roncevaux, nous allions traverser des centaines de villages et nous dormirions très peu à la belle étoile.

« Petrus, le Padre Jordi a parlé de la seconde venue du Christ comme d'un événement qui serait arrivé.

– Et qui arrive toujours. C'est le secret de ton épée.

– De plus, tu as dit que j'allais rencontrer un mage et j'ai rencontré un prêtre. Qu'est-ce que cela a à voir avec l'Église catholique ? »

Petrus a prononcé un seul mot :

« Tout. »

La Cruauté

« Ici, exactement à cet endroit, l'Amour a été assassiné », a dit le vieux paysan, montrant une petite chapelle creusée dans les rochers.

Nous avions marché cinq jours d'affilée, nous arrêtant seulement pour manger et dormir. Petrus restait assez discret sur sa vie privée, mais il s'intéressait énormément au Brésil et à mon travail. Il disait qu'il aimait beaucoup mon pays, parce que l'image qu'il connaissait le mieux était celle du Christ rédempteur du Corcovado, les bras ouverts, et non pas torturé sur une croix. Il voulait tout savoir et, à chaque pas, il me demandait si les femmes étaient aussi jolies que celles d'ici. Au cours de la journée la chaleur était quasi insupportable et, dans tous les bars et les villages où nous arrivions, les gens se plaignaient de la sécheresse. Nous cessions de marcher entre deux heures et quatre heures de l'après-midi — au

moment où le soleil était le plus chaud — et nous
adoptions la coutume espagnole de la sieste.

Cet après-midi-là, alors que nous nous repo-
sions au milieu d'une oliveraie, un vieux paysan
était venu vers nous pour nous offrir un peu de
vin. Malgré la canicule, le vin faisait partie depuis
des siècles des habitudes des habitants du coin.

« Pourquoi l'Amour a-t-il été assassiné ici ? ai-je
demandé, voyant que le vieux avait envie d'entamer la conversation.

— Il y a des siècles, une princesse qui faisait le
chemin de Saint-Jacques, Félicie d'Aquitaine,
décida de renoncer à tout et de s'installer ici, à
son retour de Compostelle. C'était le véritable
Amour, parce qu'elle partagea ses biens avec les
pauvres de la région et qu'elle soigna les
malades. »

Petrus avait allumé une de ses horribles cigarettes à rouler mais, malgré son air indifférent, j'ai
compris qu'il était attentif à l'histoire du vieux.

« Alors, son frère, le duc Guillermo, reçut de
son père l'ordre de la ramener. Félicie refusa.
Désespéré, le duc la poignarda dans la petite chapelle que vous voyez là-bas, qu'elle avait
construite de ses propres mains pour prendre
soin des pauvres et louer Dieu.

74

« Quand il revint à lui et comprit ce qu'il avait fait, le duc s'en fut à Rome demander le pardon du pape. En pénitence, celui-ci l'obligea à faire le pèlerinage jusqu'à Compostelle. C'est alors qu'un événement curieux se produisit : au retour, en arrivant ici, il fut pris de la même impulsion et s'installa dans la petite chapelle que sa sœur avait construite pour prendre soin des pauvres jusqu'aux derniers jours de sa longue vie.

– C'est la loi du retour », a remarqué Petrus en riant.

Le paysan n'a pas compris le commentaire, mais je savais exactement ce que Petrus voulait dire. Pendant que nous marchions, nous avions eu de longues discussions théologiques sur la relation entre Dieu et les hommes. J'avais affirmé que dans la Tradition il existe toujours une relation à Dieu, mais par une voie complètement différente de celle que nous suivions sur la route de saint Jacques – avec des prêtres mages, des gitans devenus démons, et des saints qui font des miracles. Tout cela me paraissait très archaïque, trop lié au christianisme, et dépourvu de la fascination et de l'extase que les rituels de la Tradition étaient capables de provoquer en moi. Petrus disait toujours que le chemin de Saint-Jacques est un chemin par lequel n'importe qui peut passer, et que seul un chemin de ce genre peut mener jusqu'à Dieu.

« Tu penses que Dieu existe et je le pense aussi, reprit Petrus. Alors, pour nous, Dieu existe. Mais si quelqu'un ne croit pas en Lui, Il ne cesse pas d'exister pour autant. Et cela ne signifie pas que la personne qui n'y croit pas soit dans l'erreur.

– Alors Dieu se limite au désir et au pouvoir de l'homme ?

– J'avais un ami qui était saoul en permanence mais qui, tous les soirs, récitait trois *Ave Maria* parce que sa mère l'y avait habitué dès l'enfance. Même lorsqu'il rentrait chez lui complètement ivre, même sans croire en Dieu, mon ami récitait toujours trois *Ave Maria*. Après sa mort, lors d'un rituel de la Tradition, j'ai demandé à l'esprit des Anciens où se trouvait cet ami. L'esprit m'a répondu qu'il allait très bien, qu'il était entouré de lumière. Sans qu'il ait eu la foi au cours de sa vie, son effort, qui consistait seulement en trois oraisons récitées par obligation et de façon automatique, l'avait sauvé.

« Dieu manifesta sa présence dans les cavernes et dans le tonnerre de nos ancêtres ; après que l'homme eut découvert qu'il s'agissait de phénomènes naturels, Il se mit à habiter certains animaux et des bois sacrés. Il y eut une époque où Il n'existait que dans les catacombes des grandes cités de l'Antiquité. Mais durant tout ce temps, Il ne cessa d'inonder le cœur de l'homme sous la forme de l'Amour.

« De nos jours, Dieu n'est qu'un concept, presque prouvé scientifiquement. Mais à ce stade, l'Histoire fait un retour et tout recommence. C'est la loi du retour. Quand le Padre Jordi a cité la phrase du Christ qui dit " où que se trouve ton trésor, là se trouvera ton cœur ", il faisait exactement référence à cela. Où que tu désires voir le visage de Dieu, tu le verras. Et si tu ne veux pas le voir, cela ne fait pas la moindre différence, dès l'instant que ton effort est bon. Lorsque Félicie d'Aquitaine construisit la chapelle et se mit à aider les pauvres, elle oublia le Dieu du Vatican, et elle le manifesta de sa manière plus primitive et plus sage : l'Amour. Sur ce point, le paysan avait tout à fait raison de dire que l'Amour a été assassiné. »

Le paysan, incapable de suivre notre conversation, n'était d'ailleurs pas très à l'aise.

« La loi du retour fonctionna quand son frère fut forcé de poursuivre l'ouvrage qu'il avait interrompu. Tout est permis, sauf d'interrompre une manifestation d'amour. Quand cela se produit, celui qui a tenté de détruire est obligé de reconstruire. »

J'ai expliqué que, dans mon pays, la loi du retour signifie que les difformités et les maladies des hommes sont des châtiments pour les erreurs commises dans des incarnations précédentes.

« Stupide ! a rétorqué Petrus. Dieu n'est pas vengeance, Dieu est amour. Son unique punition consiste à obliger celui qui a interrompu une œuvre d'amour à la poursuivre. »

Le paysan s'est excusé, disant qu'il était tard et qu'il devait retourner à son travail. Petrus a trouvé que c'était un bon prétexte pour reprendre notre marche.

« Voilà qui met fin à la conversation, a-t-il dit tandis que nous traversions l'oliveraie. Dieu est en tout ce qui nous entoure, Il doit être pressenti, vécu, et je tente là d'en faire un problème de logique pour que tu comprennes. Continue à t'exercer à marcher lentement, et tu vas prendre conscience, de plus en plus, de sa présence. »

Deux jours plus tard, nous avons dû gravir une montagne appelée le Haut-du-Pardon. L'ascension a duré plusieurs heures et, lorsque nous sommes arrivés au sommet, j'ai assisté à une scène qui m'a choqué : un groupe de touristes, la radio de la voiture à plein volume, prenait un bain de soleil et buvait de la bière. Ils avaient emprunté un chemin vicinal qui menait jusqu'en haut.

« C'est ainsi, a dit Petrus. Croyais-tu que tu allais rencontrer ici un des guerriers du Cid guettant la prochaine attaque des Maures ? »

Tandis que nous redescendions, j'ai réalisé pour la dernière fois l'exercice de la Vitesse. Nous nous trouvions de nouveau face à une plaine immense, bordée de collines bleuâtres et recouverte d'une végétation rase, brûlée par la sécheresse. Il n'y avait presque pas d'arbres, seulement un terrain pierreux et quelques épineux. À la fin de l'exercice, Petrus m'a questionné sur mon travail et je me suis rendu compte, alors, que je n'y pensais plus depuis longtemps. Mon inquiétude pour mes affaires et pour ce que j'avais renoncé à faire avait pratiquement disparu. Je ne m'en suis souvenu que ce soir-là, sans vraiment y accorder beaucoup d'importance. J'étais content de me trouver sur le chemin de Saint-Jacques.

« Tu vas bientôt surpasser Félicie d'Aquitaine », a plaisanté Petrus après que je lui eus fait part de mes sentiments. Puis il s'est arrêté et m'a demandé de poser mon sac à dos sur le sol.

« Regarde autour de toi et fixe ton regard sur un point quelconque. »

J'ai choisi la croix d'une église que j'apercevais au loin.

« Garde les yeux fixés sur ce point, et essaie de te concentrer sur ce que je vais dire. Même si tu sens que quelque chose se transforme, ne te distrais pas. Fais comme je dis. »

J'étais debout, détendu, le regard fixé sur le clocher, tandis que Petrus se plaçait derrière moi et appuyait un de ses doigts à la base de ma nuque.

« Le chemin que tu es en train de faire est le chemin du pouvoir, et seuls les exercices de pouvoir te seront enseignés. Le voyage qui, au début, était une torture parce que tu ne souhaitais qu'arriver, commence à se transformer en plaisir, le plaisir de la quête et de l'aventure. Ainsi, tu nourris tes rêves, qui sont essentiels.

« L'homme ne pourra jamais cesser de rêver. Le rêve est la nourriture de l'âme comme les aliments sont la nourriture du corps. Très souvent, au cours de notre existence, nous voyons nos rêves déçus et nos désirs frustrés, mais il faut continuer à rêver, sinon notre âme meurt et Agapè ne peut la pénétrer. Le sang a coulé dans la campagne qui s'étend devant tes yeux et là se sont livrées les batailles les plus cruelles de la Reconquête. Qui avait raison ou détenait la vérité, cela n'a pas d'importance : l'important est de savoir que, des deux côtés, on menait le Bon Combat.

« Le Bon Combat est celui qui est engagé parce que notre cœur le demande. Dans les époques héroïques, au temps des chevaliers errants, c'était facile, il y avait des terres à conquérir et bien des choses à faire. Aujourd'hui, le monde a beaucoup changé, et le Bon Combat s'est déplacé des champs de bataille à l'intérieur de nous-mêmes.

« Le Bon Combat est celui qui est engagé au nom de nos rêves. Quand ils explosent en nous de toute leur vigueur – dans la jeunesse –, nous sommes très courageux mais nous n'avons pas encore appris à lutter. Lorsque, après beaucoup d'efforts, nous finissons par l'apprendre, nous n'avons plus le même courage pour combattre. Alors nous nous retournons contre nous-mêmes et, au bout du compte, nous devenons notre pire ennemi. Nous disons que nos rêves sont infantiles, difficiles à réaliser, ou le fruit de notre méconnaissance des réalités de la vie. Nous tuons nos rêves parce que nous avons peur de mener le Bon Combat. »

La pression du doigt de Petrus sur ma nuque s'est faite plus intense. J'ai cru voir le clocher de l'église se transformer – le contour de la croix ressemblait à un homme avec des ailes. Un ange. J'ai cligné des yeux et la croix est redevenue ce qu'elle était.

« Le premier symptôme du fait que nous tuons nos rêves est le manque de temps, a poursuivi Petrus. Les gens les plus occupés que j'ai connus au cours de ma vie avaient toujours du temps pour tout. Ceux qui ne faisaient rien étaient toujours fatigués, ne se rendaient pas compte du peu de travail qu'ils réalisaient et se plaignaient constamment que la journée était trop courte. En vérité, ils avaient peur de mener le Bon Combat.

« Le deuxième symptôme de la mort de nos rêves, ce sont nos certitudes. Parce que nous ne voulons pas regarder la vie comme une grande aventure à vivre, nous commençons à nous juger sages, justes et corrects dans le peu que nous attendons de l'existence. Nous regardons au-delà des murailles de notre quotidien et nous découvrons le bruit de lances qui se brisent, l'odeur de sueur et de poussière, les grandes chutes et les regards assoiffés de conquête des guerriers. Mais nous ne concevons jamais la joie, la joie immense qui est dans le cœur de celui qui lutte parce que, pour lui, ni la victoire ni la déroute n'ont d'importance, seul compte de mener le Bon Combat.

« Enfin, le troisième symptôme de la mort de nos rêves, c'est la paix. La vie devient un dimanche après-midi, elle ne nous demande pas de grandes choses et n'exige pas plus que nous ne voulons donner. Nous pensons alors que nous sommes mûrs, que nous laissons de côté les fantaisies de l'enfance, et que nous atteignons notre réalisation personnelle et professionnelle. Nous sommes surpris lorsqu'une personne de notre âge dit qu'elle aime encore ceci ou cela de la vie. Mais en vérité, dans notre for intérieur, nous savons ce qui s'est passé : c'est que nous avons renoncé à lutter pour nos rêves, à mener le Bon Combat. »

Le clocher de l'église se transformait à chaque instant et à sa place semblait surgir un ange aux ailes déployées. J'avais beau cligner des yeux, la figure restait là. J'ai eu envie d'en parler à Petrus, mais j'ai senti qu'il n'avait pas encore terminé.

« Lorsque nous renonçons à nos rêves et trouvons la paix, a-t-il repris après un moment, nous connaissons une courte période de tranquillité. Mais les rêves morts commencent à pourrir en nous et à infester toute notre atmosphère. Nous devenons cruels envers ceux qui nous entourent, et finalement nous retournons cette cruauté contre nous-mêmes. Surgissent les souffrances et les psychoses. Ce que nous voulions éviter dans le combat – la déception et l'échec – devient le seul legs de notre lâcheté. Et un beau jour, les rêves morts et pourris rendent l'air irrespirable et nous désirons la mort, la mort qui nous délivre de nos certitudes, de nos occupations, et de cette terrible paix des dimanches après-midi. »

J'étais sûr maintenant que je voyais vraiment un ange et je ne parvenais plus à suivre les paroles de Petrus. Il a dû le deviner car il a ôté son doigt de ma nuque et il s'est tu. L'image de l'ange est demeurée un instant puis elle a disparu. À sa place, a de nouveau surgi le clocher de l'église.

Nous sommes restés silencieux quelques minutes. Petrus a roulé une cigarette et s'est mis à fumer. J'ai pris dans mon sac la bouteille de vin et j'en ai bu une gorgée. Il était chaud mais il avait conservé sa saveur.

« Qu'as-tu vu ? » a-t-il demandé.

Je lui ai raconté l'histoire de l'ange. Je lui ai dit qu'au début, quand je clignais des yeux, l'image disparaissait.

« Toi aussi tu dois apprendre à mener le Bon Combat. Tu as appris à accepter les aventures et les défis de la vie, mais tu continues à vouloir nier l'extraordinaire. »

Petrus a pris dans son sac un petit objet et me l'a tendu. C'était une épingle en or.

« C'est un cadeau de mon grand-père. Dans l'ordre de RAM, tous les Anciens possédaient un objet comme celui-là. On l'appelle " la Pointe de la cruauté ". Lorsque tu as vu l'ange apparaître sur le clocher de l'église, tu as voulu le nier. Parce que ce n'était pas une chose à laquelle tu es habitué. Dans ta vision du monde, les églises sont des églises et les visions ne peuvent se produire que dans les extases provoquées par les rituels de la Tradition. »

J'ai répondu que ma vision avait certainement été l'effet de la pression qu'il exerçait sur ma nuque.

« C'est juste, mais cela ne change rien. Le fait est que tu as refusé la vision. Félicie d'Aquitaine a dû avoir une vision comparable et elle a mis toute sa vie en jeu pour ce qu'elle a vu : le résultat est qu'elle a transformé son ouvrage en amour. La même chose a dû se produire pour son frère. La même chose arrive à tout le monde, tous les jours : nous voyons toujours le meilleur chemin à suivre, mais nous ne prenons que le chemin auquel nous sommes accoutumés. »

Petrus s'est remis en marche et je l'ai suivi. Les rayons du soleil faisaient briller l'épingle dans ma main.

« La seule manière de sauver nos rêves est d'être généreux envers nous-mêmes. Il faut traiter avec rigueur toute tentative d'autopunition, aussi subtile soit-elle. Pour savoir quand nous devenons cruels envers nous-mêmes, nous devons transformer en douleur physique la moindre apparition d'une douleur spirituelle, comme la culpabilité, le remords, l'indécision, la lâcheté. En faisant d'une douleur spirituelle une douleur physique, nous saurons le mal qu'elle peut nous causer. »

Et Petrus m'a enseigné L'EXERCICE DE LA CRUAUTÉ.

« Autrefois on utilisait une épingle en or, a-t-il dit. De nos jours, les choses ont changé, comme changent les paysages sur le chemin de Saint-Jacques. »

L'exercice de la Cruauté

Chaque fois que te passe par la tête une pensée dont tu crois qu'elle te fait mal — jalousie, autocompassion, souffrances d'amour, envie, haine, etc. —, procède de la manière suivante.

Enfonce l'ongle de l'index dans la racine de l'ongle du pouce, jusqu'à ce que la douleur devienne intense. Concentre-toi sur elle : elle reflète dans le champ physique la souffrance même que tu ressens sur le plan spirituel. Ne supprime la pression de ton doigt que lorsque cette pensée te sort de l'esprit.

Répète cet exercice autant de fois qu'il est nécessaire, voire sans arrêt, jusqu'à ce que la pensée te quitte. Elle reviendra à intervalles plus longs, et disparaîtra complètement, si tu n'oublies pas de pratiquer l'exercice chaque fois qu'elle resurgit.

Petrus avait raison. Vue d'en bas, la plaine ressemblait à une succession de tertres.

« Pense à quelque chose de cruel que tu as fait aujourd'hui contre toi-même, et exécute l'exercice. »

Je ne parvenais à me souvenir de rien.

« C'est toujours comme cela. Nous ne réussissons à être généreux envers nous-mêmes qu'aux rares moments où nous avons besoin de sévérité. »

Soudain il m'est revenu que je m'étais trouvé stupide de gravir le Haut-du-Pardon avec tant de difficulté, alors que ces touristes avaient trouvé le chemin le plus facile. Je savais que ce n'était pas vrai et que j'étais cruel envers moi-même ; les touristes cherchaient du soleil, moi, j'étais en quête de mon épée. Je n'étais pas un idiot mais je me sentais comme tel. J'ai enfoncé très fort l'ongle de mon index dans la racine de l'ongle de mon pouce. J'ai ressenti une douleur intense et, tandis que je me concentrais sur la douleur, la sensation que j'étais un idiot a disparu.

J'en ai fait le commentaire à Petrus et il a ri sans rien dire.

Ce soir-là, nous sommes descendus dans un hôtel accueillant dans le village dont j'avais aperçu l'église de loin. Après le dîner, nous avons

décidé d'aller faire une petite promenade diges-
tive.

« De toutes les manières que l'homme a trou-
vées de se faire du mal à lui-même, l'Amour est la
pire. Nous souffrons toujours pour quelqu'un qui
ne nous aime pas, pour quelqu'un qui nous a
quittés, pour quelqu'un qui ne veut pas nous
quitter. Si nous sommes célibataires, c'est que
personne ne nous aime ; si nous sommes mariés,
nous transformons le mariage en esclavage. C'est
vraiment terrible », a-t-il ajouté, l'air contrarié.

Nous sommes arrivés devant une petite place où
s'élevait l'église que j'avais vue. J'ai tenté d'entre-
voir l'ange mais je n'y suis pas parvenu.

Petrus observait la croix là-haut. J'ai pensé qu'il
distinguait l'ange, mais non : tout de suite, il s'est
mis à me parler.

« Quand le Fils du Père descendit sur la terre, il
apporta l'amour. Mais puisque l'humanité ne peut
comprendre l'amour que comme souffrance et
sacrifice, on finit par le crucifier. Sans cela, personne n'aurait cru en son amour, car tous les
hommes étaient habitués à souffrir chaque jour
de leurs propres passions. »

Nous nous sommes assis sur le muret et nous
avons continué à regarder l'église. Une fois
encore, c'est Petrus qui a rompu le silence.

« Sais-tu ce que signifie Barabbas, Paulo ? *Bar*
veut dire fils et *Abba*, père. »

Il regardait fixement la croix sur le clocher. Ses yeux brillaient et j'ai senti que quelque chose le possédait, peut-être cet amour dont il parlait tant, mais que je ne parvenais pas à bien comprendre.

« Comme ils sont sages, les desseins de la gloire divine ! s'est-t-il exclamé en faisant résonner l'écho de sa voix à travers la place vide. Quand Pilate a demandé au peuple de choisir, il ne lui a laissé en réalité aucune alternative. Il a montré un homme flagellé, brisé, et un autre tête haute, Barabbas, le révolutionnaire. Dieu savait que le peuple allait envoyer le plus faible à la mort, pour qu'il prouvât son amour. »

Et il a conclu :

« Et cependant, quel qu'eût été le choix, le Fils du Père aurait finalement été crucifié. »

Le Messager

« Ici, tous les chemins de Saint-Jacques ne font plus qu'un. »

Nous sommes arrivés tôt le matin à Puente La Reina. La phrase était inscrite sur la base d'une statue – figurant un pèlerin en costume médiéval avec chapeau tricorne, cape, coquilles, le bourdon et la calebasse à la main – et rappelait l'épopée d'un voyage presque oublié, que Petrus et moi étions en train de revivre.

Nous avions passé la nuit précédente dans l'un des nombreux couvents qui se trouvent tout le long du Chemin. En nous accueillant, le frère portier nous a avertis que nous ne pouvions prononcer le moindre mot dans l'enceinte de l'abbaye. Un jeune moine a mené chacun de nous à sa cellule, équipée du strict nécessaire : un lit dur, des draps usés mais propres, une jarre d'eau et une cuvette pour la toilette. Il n'y avait ni robi-

net ni eau chaude, et l'horaire des repas était ins-
crit derrière la porte.

À l'heure indiquée, nous sommes descendus au
réfectoire. Les moines, qui avaient fait vœu de
silence, ne communiquaient que par le regard, et
j'ai eu l'impression que leurs yeux étaient plus
brillants que ceux des gens du commun. Le repas
a été servi tôt, sur de longues tables où nous
étions venus nous asseoir avec les moines en habit
de bure. De sa place, Petrus m'a fait signe et j'ai
parfaitement compris ce qu'il voulait me dire : il
mourait d'envie d'allumer une cigarette, mais il
allait apparemment passer la nuit entière sans
satisfaire son désir. Il m'arrivait la même chose et
j'ai enfoncé un ongle à la racine de l'ongle de mon
pouce, déjà presque à vif. Le moment était trop
beau pour commettre la moindre cruauté envers
moi-même.

Le dîner se composait de soupe de légumes, de
pain, de poisson et de vin. Tous priaient et nous
avons accompagné la prière. Pendant que nous
mangions, un moine lecteur a récité d'une voix
monotone des extraits d'une épître de Paul.

« Dieu a choisi les folies du monde pour faire
honte aux sages et il a choisi les faiblesses du
monde pour humilier les puissants, disait le
moine de sa voix fine et sans inflexion. Nous
sommes fous à cause du Christ. Jusqu'à mainte-

nant, on nous a considérés comme la lie de la terre, la scorie de tous. Pourtant, le règne de Dieu n'est pas fait de paroles, mais de pouvoir. »

Les admonestations de Paul aux Corinthiens ont résonné durant tout le repas dans le réfectoire aux murs nus.

Le lendemain, nous sommes entrés à Puente La Reina en discutant de notre court passage chez les moines la veille au soir. J'ai confessé à Petrus que j'avais fumé en cachette dans la chambre, mort de peur que quelqu'un ne sentît l'odeur du tabac. Il a ri et j'ai compris qu'il avait dû en faire autant.

« Saint Jean-Baptiste s'est retiré au désert, mais Jésus a rejoint les pécheurs et il n'a cessé de voyager, a-t-il dit. Je préfère cela. »

En effet, hormis la période du désert, le Christ a passé le reste de sa vie parmi les hommes.

« Précisément, son premier miracle n'a pas consisté à sauver une âme, ni à guérir un malade, ni à chasser un démon ; mais à transformer l'eau en un excellent vin pendant une noce, parce que le maître de maison n'avait plus rien à boire. »

Sur ces mots, il s'est soudain immobilisé. Son mouvement a été si brusque que je me suis arrêté aussi, inquiet. Nous nous trouvions devant le pont qui donne son nom à la petite ville. Mais Petrus ne regardait pas le chemin que nous devions prendre. Il avait les yeux fixés sur deux gamins qui jouaient avec une balle en caoutchouc au bord de la rivière. Ils devaient avoir entre huit et dix ans et ne semblaient pas avoir remarqué notre présence. Au lieu de traverser le pont, Petrus a descendu le talus de la berge et il s'est dirigé vers les deux gosses. Moi, comme toujours, je l'ai suivi sans poser de question.

Les gamins continuaient d'ignorer notre présence. Petrus s'est assis et a suivi leur jeu, jusqu'au moment où la balle est tombée près de lui. D'un geste vif, il l'a saisie et me l'a lancée. Je l'ai rattrapée au vol et j'ai attendu ce qui allait se passer.

Celui des gamins qui semblait le plus âgé s'est approché. Ma première impulsion a été de lui rendre la balle, mais le comportement de Petrus avait été si extravagant que j'ai décidé d'essayer de savoir ce qui se passait.

« Donnez-moi la balle, monsieur », a dit le gosse.

J'ai regardé cette petite figure qui se tenait à deux mètres de moi. J'ai senti quelque chose de familier chez le gamin, une impression que j'avais déjà éprouvée lorsque j'avais rencontré le gitan.

Le gosse est revenu à la charge plusieurs fois et, voyant que je ne répondais pas, il s'est baissé et il a ramassé une pierre.

« Rendez-moi la balle ou je vous lance cette pierre », a-t-il insisté.

Petrus et l'autre gamin m'observaient en silence. L'agressivité du gosse m'a irrité.

« Lance la pierre, ai-je répliqué. Si elle me touche, je t'attrape et je te donne une volée de coups. »

J'ai senti que Petrus soupirait de soulagement. Quelque chose commençait à vouloir surgir des profondeurs de mon esprit. J'avais la nette sensation d'avoir déjà vécu cette scène.

J'avais fait peur au gosse. Il a jeté la pierre par terre et a essayé une autre tactique :

« Ici, à Puente La Reina, il y a un reliquaire qui a appartenu à un très riche pèlerin. Je vois à votre coquille et à votre sac à dos que vous aussi êtes pèlerins. Si vous me rendez ma balle, je vous donne ce reliquaire. Il est caché dans le sable, au bord de la rivière.

– Je veux la balle », ai-je répondu sans grande conviction. En réalité, c'était le reliquaire que je voulais. Le gosse semblait dire la vérité. Mais peut-être Petrus avait-il besoin de cette balle pour une raison ou une autre, et je ne pouvais le décevoir ; il était mon guide.

« Monsieur, vous n'avez pas besoin de cette balle, a dit le gosse, au bord des larmes. Vous êtes fort, vous voyagez et vous connaissez le monde.

Moi, je ne connais que les bords de cette rivière et mon seul jouet est cette balle. Rendez-la-moi, s'il vous plaît. »

Les paroles du gosse me sont allées droit au cœur. Mais l'atmosphère étrangement familière, la sensation d'avoir déjà lu ou vécu cette situation m'ont conduit à résister une fois encore.

« Non. J'ai besoin de cette balle. Je te donnerai de l'argent pour en acheter une autre, plus belle, mais celle-ci est à moi. »

Quand j'eus dit cela, le temps a paru s'arrêter. Le paysage autour de moi s'est transformé, sans que Petrus eût appuyé son doigt à la base de ma nuque : pendant une fraction de seconde, on aurait dit que nous étions transportés dans un long et effrayant désert de cendres. Il n'y avait là ni Petrus ni l'autre gosse, seulement moi et le gamin face à moi. Il était plus vieux, il avait des traits sympathiques et amicaux, mais dans ses yeux brillait quelque chose qui me faisait peur.

La vision n'a pas duré plus d'une seconde. J'étais déjà revenu à Puente La Reina, le lieu où les nombreux chemins de Saint-Jacques, partant de divers points d'Europe, convergent et ne font plus qu'un. Devant moi, un gamin réclamait une balle, et il avait un regard doux et triste.

Petrus s'est approché ; il m'a pris la balle des mains et l'a rendue au gosse.

« Où est le reliquaire caché ? a demandé Petrus au gamin.

– Quel reliquaire ? » a rétorqué celui-ci, tandis qu'il prenait son ami par la main et courait se jeter à l'eau.

Nous avons remonté le talus et finalement traversé le pont. J'ai commencé à poser des questions sur ce qui venait de se passer, j'ai parlé de la vision du désert, mais Petrus a changé de sujet et dit que nous en discuterions une fois que nous serions un peu éloignés d'ici.

Une demi-heure plus tard, nous avons atteint un tronçon du chemin où des vestiges du pavement romain étaient toujours présents. Il y avait là un autre pont, en ruine, et nous avons fait une halte pour prendre le petit déjeuner que nous avaient donné les moines : du pain de seigle, du yaourt et du fromage de chèvre.

« Pourquoi voulais-tu la balle du gosse ? » m'a demandé Petrus.

J'ai répondu que je ne voulais pas la balle. Que j'avais agi ainsi parce que lui, Petrus, s'était comporté d'une manière étrange. Comme si la balle avait eu beaucoup d'importance à ses yeux.

« En effet, elle en avait. J'ai fait en sorte que tu aies un contact victorieux avec ton démon personnel. »

Mon démon personnel ? Je n'avais jamais

entendu pareille absurdité de tout ce voyage. J'avais passé six jours à aller et venir au milieu des Pyrénées, j'avais fait la connaissance d'un prêtre mage qui n'avait pratiqué aucune magie, et mon doigt était à vif parce que, chaque fois que j'avais une pensée cruelle envers moi-même – hypocondrie, sentiment de culpabilité, complexe d'infériorité –, j'étais obligé d'enfoncer mon ongle dans la plaie. Sur ce point, Petrus avait raison : les pensées négatives avaient considérablement diminué. Mais cette histoire de démon personnel, je n'en avais encore jamais entendu parler. Et j'allais avoir du mal à l'avaler.

« Aujourd'hui, avant de traverser le pont, j'ai senti intensément une présence, comme si quelqu'un voulait nous donner un avertissement. Mais l'avertissement t'était destiné plutôt qu'à moi. Une lutte se prépare, et tu vas devoir mener le Bon Combat.

« Quand on ne connaît pas son démon personnel, il se manifeste habituellement dans la personne la plus proche. J'ai regardé alentour et j'ai vu les gamins en train de jouer ; j'en ai déduit que c'était là qu'il devrait donner son avertissement. Mais ce n'était qu'un pressentiment. Je n'ai eu la certitude qu'il s'agissait de ton démon personnel qu'au moment où tu as refusé de rendre la balle. »

J'ai dit que j'avais agi ainsi parce que je pensais que c'était ce que lui voulait.

« Pourquoi moi ? À un certain moment j'ai dit quelque chose ? »

Je me suis mis à avoir un peu le vertige. C'était peut-être la nourriture, que j'avais dévorée avec voracité après presque une heure de marche à jeun. En même temps, la sensation que le gosse m'était familier me revenait sans cesse.

« Ton démon personnel t'a tenté de trois manières classiques : par une menace, par une promesse, et en touchant ton côté fragile. Félicitations : tu as résisté courageusement. »

À présent je me souvenais que j'avais interrogé le gosse à propos du reliquaire. Sur le moment, je m'étais dit que le gamin avait essayé de me tromper. Mais il devait réellement exister un reliquaire caché là – un démon ne fait jamais de fausses promesses.

« Quand le gosse ne s'est plus souvenu du reliquaire, c'est que ton démon personnel était déjà parti. » Il a continué sans broncher : « Il est temps de le rappeler. Tu vas avoir besoin de lui. »

Nous étions assis sur le vieux pont en ruine. Petrus a rassemblé soigneusement les restes de nourriture et les a rangés dans le sac en papier que les moines nous avaient donné. Dans la campagne devant nous, les travailleurs arrivaient au labour, mais ils étaient si loin que je ne parvenais pas à entendre leurs paroles. Le terrain était tout ondulé, et les terres cultivées formaient de mystérieux dessins dans le paysage. À nos pieds, le cours d'eau, tari par la sécheresse, coulait presque silencieusement.

« Avant de parcourir le monde, le Christ est allé s'entretenir avec son démon personnel dans le désert, a commencé Petrus. Il a appris ce qu'il devait savoir sur l'homme mais il n'a pas laissé le démon lui dicter la règle du jeu, et ainsi il l'a vaincu.

« Aucun homme n'est une île, a dit un poète. Pour mener le Bon Combat, nous avons besoin d'aide. Nous avons besoin d'amis et, lorsque les amis sont loin, nous devons faire de la solitude notre arme principale. Tout ce qui nous entoure doit nous aider à franchir les pas qui nous rapprochent de notre objectif. Tout doit être une manifestation personnelle de notre volonté de vaincre en menant le Bon Combat. Sans cela, si nous ne comprenons pas que nous avons besoin de tous et de tout, nous serons des guerriers arrogants. Et notre arrogance nous détruira parce que nous serons tellement sûrs de nous que nous ne verrons pas les pièges du champ de bataille. »

Cette histoire de guerriers et de combats m'a rappelé une fois encore le don Juan de Carlos

Castañeda. Je me suis demandé si le vieux sorcier indien donnait des leçons le matin, avant que son disciple n'ait eu le temps de digérer son petit déjeuner. Mais Petrus a continué.

« En plus des forces physiques qui nous entourent et nous assistent, il existe fonda-mentalement deux forces spirituelles à nos côtés : un ange et un démon. L'ange nous protège tou-jours, et c'est un don divin – il n'est pas néces-saire de l'invoquer. Le visage de ton ange est tou-jours visible quand tu portes sur le monde un regard généreux. Il est le ruisseau, les travailleurs des champs, le ciel bleu. Sur ce vieux pont qui nous permet de traverser l'eau, et qui a été construit ici par les mains anonymes de légion-naires romains, sur ce pont également se trouve le visage de ton ange. Nos ancêtres le connaissaient comme ange gardien, ange de garde, ange protec-teur.

« Le démon aussi est un ange, mais il est une force libre, rebelle. Je préfère l'appeler Messager, puisqu'il est le principal lien entre toi et le monde. Dans l'Antiquité, il était représenté par Mercure, Hermès Trismégiste, le Messager des dieux. Il n'intervient que sur le plan matériel. Il est présent dans l'or de l'Église, parce que l'or vient de la terre et la terre est son domaine. Il est présent dans notre travail et notre rapport à

101

l'argent. Quand nous le laissons libre, il a tendance à se disperser. Quand nous l'exorcisons, nous perdons tout ce qu'il a de bon à nous enseigner, car il connaît bien le monde et les hommes. Quand nous sommes fascinés par son pouvoir, il nous possède et nous éloigne du Bon Combat.

« Pourtant, le seul moyen de connaître notre Messager est de nous en faire un ami. En écoutant ses conseils, en l'appelant à l'aide lorsque c'est nécessaire, mais sans jamais le laisser dicter les règles. Comme tu l'as fait avec le gosse. Pour cela, il faut d'abord que tu saches ce que tu veux, ensuite que tu connaisses son visage et son nom.

– Comment le saurais-je ? » ai-je demandé.

Et Petrus m'a enseigné LE RITUEL DU MESSAGER.

« Fais-le plutôt le soir, c'est plus facile. Aujourd'hui, lors de votre première rencontre, il te révélera son nom. Ce nom est secret et ne doit être connu de personne, pas même de moi. Quiconque connaîtrait le nom de ton Messager pourrait le détruire. »

Petrus s'est levé et nous avons repris notre marche. En peu de temps, nous sommes arrivés au champ où les paysans travaillaient la terre. Nous avons échangé quelques *buenos días* et continué notre chemin.

« Si je devais faire appel à une image, je dirais

LE RITUEL DU MESSAGER

Assieds-toi et détends-toi complètement. Laisse ton esprit vagabonder là où il veut, la pensée coulant sans contrôle. Au bout de quelques instants, répète-toi : « Maintenant je suis détendu et mes yeux dorment du sommeil du monde. »

Quand tu sens ton esprit débarrassé de toute préoccupation, imagine une colonne de feu à ta droite. Fais en sorte que les flammes soient vives et brillantes. Alors dis à voix basse : « J'ordonne que mon subconscient se manifeste. Qu'il s'ouvre à moi et révèle ses secrets magiques. » Attends un peu, concentre-toi seulement sur la colonne de feu. Si une image surgit, ce sera une manifestation de ton subconscient. Essaie de la conserver.

En maintenant toujours la colonne de feu à ta droite, imagines-en une autre à ta gauche. Lorsque les flammes seront vives, prononce à voix basse les mots suivants : « Que la force de l'Agneau, qui se manifeste en tout et en tous, se manifeste aussi en moi tandis que j'invoque mon Messager. [Nom du Messager] m'apparaîtra alors. »

Converse avec ton Messager, qui se manifestera entre les deux colonnes. Fais-lui part de ton problème, demande-lui conseil et donne-lui les ordres nécessaires.

Cet échange terminé, donne-lui congé par les mots suivants : « Je remercie l'Agneau du miracle que j'ai réalisé. Que [nom du Messager] revienne chaque fois qu'il sera invoqué et, même s'il est loin, m'aide à réaliser mon œuvre. »

Note : Dans la première, ou lors des premières invocations, selon la capacité de concentration de celui qui réalise le rituel –, on ne prononce pas le nom du Messager. On dit seulement « Lui ». Si le rituel a été correctement exécuté, le Messager doit révéler d'emblée son nom, par télépathie. Dans le cas contraire, insiste pour connaître ce nom et, à partir de là seulement, engage le dialogue. Plus le rituel sera répété, plus forte sera la présence du Messager, et plus rapides ses actions.

que l'ange est ton armure et le Messager ton épée. Une armure protège en toute circonstance, mais une épée peut tomber au milieu du combat, tuer un ami, ou se retourner contre son propriétaire. Par ailleurs, on peut presque tout faire avec une épée, sauf s'asseoir dessus », a-t-il conclu dans un éclat de rire.

Nous nous sommes arrêtés dans un village pour déjeuner, et le garçon qui nous a servis était visiblement de mauvaise humeur. Il ne répondait pas à nos questions. Il a posé la nourriture n'importe comment devant nous et a même renversé un peu de café sur le bermuda de Petrus. J'ai vu alors mon guide se transformer : il s'est mis en colère, a appelé le patron et a protesté vigoureusement. Finalement, il est allé aux toilettes mettre son bermuda de rechange pendant que le patron lavait la tache de café et étendait le vêtement.

Tandis que nous attendions que le soleil de quatorze heures sèche le bermuda de Petrus, je pensais à tout ce dont nous avions discuté le matin. Il est vrai que la majeure partie des affirmations de Petrus sur le gamin s'était vérifiée. En outre, j'avais eu la vision d'un désert et d'un visage. Mais cette histoire de Messager me semblait très archaïque. Nous étions en plein

XX° siècle et les concepts d'enfer, de péché et de démon n'avaient plus de sens pour personne d'un tant soit peu intelligent. Dans la Tradition, dont j'avais suivi les enseignements pendant beaucoup plus longtemps que le chemin de Saint-Jacques, le Messager – appelé justement démon, sans que cela soit péjoratif – était un esprit dominant les forces de la Terre, et pouvait être soumis à l'usage des hommes. On avait souvent recours à lui mais il n'était jamais un allié ni un conseiller pour les affaires quotidiennes. Petrus avait laissé entendre que je pourrais utiliser l'amitié du Messager pour progresser dans mon travail et dans le monde. L'idée me semblait profane, et aussi infantile.

Mais j'avais juré obéissance totale à Mme Savin. Et une fois de plus j'ai dû enfoncer mon ongle dans la chair de mon pouce, à vif.

« Je n'aurais pas dû m'emporter, a dit Petrus après notre départ. Il n'a pas renversé la tasse sur moi, mais sur le monde qu'il hait. Il sait qu'il existe un monde gigantesque, au-delà des frontières de sa propre imagination, et sa participation à ce monde se résume à se lever tôt, aller à la boulangerie, servir le client de passage et se masturber la nuit en rêvant de femmes qu'il ne connaîtra jamais. »

Il était l'heure de faire halte pour la sieste, mais Petrus a préféré continuer à marcher. Il a dit que c'était une manière de faire pénitence pour son intolérance. Moi qui n'avais rien fait, j'ai dû l'accompagner sous ce soleil violent. Je songeais au Bon Combat et aux millions de gens qui, à cet instant, faisaient sur toute la planète des choses qu'ils n'aimaient pas. L'exercice de la Cruauté mettait certes à vif la chair de mon doigt mais il me faisait beaucoup de bien. Il m'avait permis de comprendre à quel point mon esprit pouvait me trahir, m'entraîner à des actes que je n'approuvais pas et à des sentiments qui ne m'étaient d'aucun secours. À ce moment j'ai souhaité que Petrus eût raison : qu'il existât vraiment un Messager, pour discuter avec lui de choses pratiques et lui demander de l'aide dans les affaires du monde. J'ai attendu la nuit avec impatience.

Petrus, cependant, ne cessait de parler du garçon. Finalement, il s'est convaincu qu'il avait bien fait, et il a recouru pour cela, de nouveau, à un argument chrétien.

« Le Christ a pardonné à la femme adultère, mais il a maudit le figuier qui n'a pas voulu lui donner une figue. Moi non plus je ne suis pas là pour être toujours gentil. »

D'accord. Dans sa tête, le problème était résolu. Une fois de plus la Bible l'avait sauvé.

106

Nous sommes arrivés à Estella à neuf heures du soir environ. J'ai pris un bain, et nous sommes descendus dîner. L'auteur du premier guide de la route de saint Jacques, Aymeri Picaud, décrivit Estella comme « un lieu fertile où l'on trouve du bon pain, un excellent vin, de la viande et du poisson. L'eau de l'Ega est douce, saine et très bonne ». Je n'ai pas bu l'eau de la rivière mais, quant à la chère, Picaud avait toujours raison, même huit siècles plus tard. On nous a servi des tranches de gigot d'agneau, des cœurs d'artichaut et un rioja d'un excellent cru. Nous sommes restés très longtemps à table, à bavarder de choses et d'autres en dégustant le vin. Enfin, Petrus a annoncé que c'était le bon moment pour établir mon premier contact avec le Messager.

Nous nous sommes levés et avons parcouru à pied les rues de la ville. Quelques ruelles donnaient directement sur la rivière – comme à Venise – et c'est dans l'une d'elles que j'ai décidé de m'asseoir. Petrus savait que désormais c'était moi qui menais la cérémonie, et il s'est tenu un peu en retrait.

J'ai contemplé longtemps la rivière. Ses eaux, son bruit m'ont peu à peu éloigné du monde et m'ont inspiré un calme profond. J'ai fermé les yeux et j'ai imaginé la première colonne de feu. Elle n'est apparue qu'au bout d'un moment.

J'ai prononcé les paroles rituelles et l'autre colonne a surgi à ma gauche. L'espace qui les séparait, illuminé par le feu, était totalement vide. Je suis resté les yeux fixés sur cet espace, essayant de ne pas penser, pour permettre au Messager de se manifester. Mais, à sa place, ont jailli des scènes exotiques – l'entrée d'une pyramide, une femme vêtue d'or pur, des hommes noirs qui dansaient autour d'un feu. Les images se succédaient rapidement, et je les ai laissées couler sans aucun contrôle. De nombreuses étapes du Chemin, que j'avais parcouru avec Petrus, se sont aussi révélées : des paysages, des restaurants, des forêts. Jusqu'au moment où, sans le moindre avertissement, le désert de cendres que j'avais vu le matin s'est étendu entre les colonnes de feu. Et là, me regardant, se tenait l'homme sympathique, une lueur perfide dans les yeux.

Il a ri et j'ai souri dans ma transe. Il m'a montré une bourse fermée, puis il l'a ouverte et a regardé à l'intérieur – mais, dans la position où je me trouvais, je n'ai rien pu voir. Un nom m'est alors venu à l'esprit : Astrain [1]. Je me suis représenté mentalement ce nom, je l'ai fait vibrer entre les deux

1. C'est bien sûr, un faux nom.

colonnes de feu, et le Messager a opiné du chef; j'avais découvert son nom.

Le moment était venu de clore l'exercice. J'ai prononcé les paroles rituelles et j'ai éteint les colonnes de feu – d'abord celle de gauche, puis celle de droite. J'ai rouvert les yeux et devant moi coulait l'Ega.

« Ce fut beaucoup moins difficile que je ne l'imaginais, ai-je dit à Petrus, après lui avoir raconté tout ce qui s'était passé.

-- C'était ton premier contact. Un contact de reconnaissance mutuelle, et de mutuelle amitié. La conversation avec le Messager deviendra productive si tu l'invoques tous les jours, si tu discutes de tes problèmes avec lui et si tu sais distinguer parfaitement une aide réelle d'un piège. Ne perds jamais de vue ton épée quand tu le rencontres.

– Mais je n'ai pas encore d'épée, ai-je rétorqué.

– C'est pourquoi il ne pourra pas te faire grand mal. Tout de même, il vaut mieux ne pas lui faciliter la tâche. »

Le rituel était terminé. J'ai dit bonsoir à Petrus et je suis rentré à l'hôtel. Sous les draps, je pensais au pauvre garçon qui nous avait servi le déjeuner. J'avais envie de retourner le voir, de lui enseigner le rituel du Messager et de lui dire que tout pouvait changer s'il le désirait. Mais il était inutile de tenter de sauver le monde : je n'avais pas encore réussi à me sauver moi-même [1].

---

1. Le rituel du Messager est décrit de manière incomplète. En réalité, Petrus m'a parlé de la signification des visions, des souvenirs et de la bourse que m'avait montrée Astrain. Cependant, comme la rencontre avec le Messager est différente selon les personnes, l'insistance sur mon expérience particulière aurait pour effet d'influencer de manière négative l'expérience d'autrui.

L'Amour

« Converser avec le Messager, ce n'est pas poser des questions sur le monde des esprits, a dit Petrus le lendemain. La seule utilité du Messager est une aide dans le monde matériel. Il ne te l'apportera que si tu sais exactement ce que tu désires. »

Nous nous étions arrêtés dans un village pour nous désaltérer. Petrus avait commandé une bière et moi un soda. Le support de mon verre était constitué d'un cercle de plastique contenant de l'eau colorée. Mes doigts dessinaient dessus des figures abstraites et j'étais préoccupé.

« Tu m'as expliqué que le Messager s'était manifesté à travers le gosse parce qu'il avait quelque chose à me dire.

– Quelque chose d'urgent », a-t-il confirmé.

Nous avons encore discuté des Messagers, des anges et des démons. Il m'était difficile d'admettre un usage aussi pratique des mystères de la Tradition. Petrus insistait sur l'idée que nous devions toujours chercher une récompense, et je me rappelais les paroles de Jésus : les riches n'entreraient pas au royaume des cieux.

« Jésus a aussi récompensé l'homme qui a su multiplier les talents de son maître. En outre, on n'a pas cru en lui seulement parce qu'il était bon orateur : il a dû réaliser des miracles, donner des récompenses à ceux qui le suivaient.

– Personne ne dira du mal de Jésus dans mon bar, a interrompu le patron, qui suivait notre conversation.

– Personne ne dit du mal de Jésus, a répliqué Petrus. Dire du mal de Jésus, c'est commettre des péchés en invoquant son nom. Comme vous l'avez fait ici, sur cette place. »

Le patron du bar a vacillé un instant. Mais il a vite rétorqué : « Je n'ai rien à voir avec ça. J'étais encore un enfant.

– Les coupables, ce sont toujours les autres », a grommelé Petrus.

Le patron du bar est sorti par la porte de la cuisine. J'ai demandé de quoi ils parlaient.

« Il y a cinquante ans, en plein XXe siècle, un gitan fut brûlé là en face. Accusé de sorcellerie et de blasphème contre la sainte hostie. L'affaire fut étouffée par les atrocités de la guerre civile, et personne aujourd'hui ne se souvient de cette histoire. Excepté les habitants de la ville où nous nous trouvons.

— Comment sais-tu cela, Petrus?

— Parce que j'ai déjà parcouru le chemin de Saint-Jacques. »

Nous avons continué à boire dans le bar désert. Le soleil était aveuglant et c'était l'heure de notre sieste. Bientôt, le patron du bar est revenu avec le curé du village.

« Qui êtes-vous? » a demandé le prêtre.

Petrus a montré la coquille dessinée sur son sac à dos. Durant mille deux cents ans, les pèlerins étaient passés par ce chemin devant le bar, et la tradition voulait que chaque pèlerin fût respecté et accueilli en toute circonstance. Alors le prêtre a changé de ton.

« Comment se fait-il que des pèlerins qui se rendent à Saint-Jacques disent du mal de Jésus? » a-t-il demandé, sur le ton de la catéchèse.

« Personne ici ne disait du mal de Jésus. Nous évoquions les crimes commis au nom de Jésus. Par exemple, l'affaire du gitan qui a été brûlé sur la place. »

La coquille sur le sac de Petrus a aussi contraint le patron à changer ses manières. Cette fois, il s'est adressé à nous respectueusement.

« La malédiction du gitan persiste aujour-

d'hui », a-t-il déclaré sous le regard désapproba-
teur du prêtre.

Petrus a insisté pour savoir de quelle façon. Le
prêtre a répondu que c'étaient des contes popu-
laires, qui n'avaient reçu aucune caution de
l'Église. Mais le patron du bar a repris :

« Avant de mourir, le gitan a dit que le plus
jeune enfant du village recevrait ses démons et
qu'il en serait habité. Lorsque cet enfant deviendrait vieux et mourrait, les démons passeraient
dans un autre enfant. Et ainsi de suite au fil des
siècles.

– La terre ici est la même que celle des autres
villages des environs, a reparti le prêtre.
Lorsqu'ils souffrent de la sécheresse, nous souffrons aussi. Quand il pleut là-bas et que la récolte
est bonne, nous aussi nous remplissons nos cel-
liers. Rien ne nous est arrivé qui ne soit également arrivé dans les villages voisins. Toute cette
histoire est pure fantaisie.

– Rien n'est arrivé parce que nous avons isolé
la malédiction, a expliqué le patron du bar.

– Alors, allons jusqu'à elle », a suggéré Petrus.

Le prêtre a ri et dit que c'était bien parlé. Le
patron du bar a fait le signe de la croix. Mais
aucun d'eux n'a bougé.

Petrus a payé l'addition et il a insisté pour que
quelqu'un nous conduise jusqu'à la personne qui

avait reçu la malédiction. Le prêtre s'est excusé, il devait retourner à l'église, car il avait interrompu un travail important. Et il est parti avant que l'un de nous pût dire le moindre mot.

Le patron du bar a jeté à Petrus un regard inquiet.

« Ne vous en faites pas, a dit mon guide. Il suffit de nous montrer la maison où habite la malédiction. Nous allons tenter d'en délivrer la ville. »

Le patron du bar est sorti avec nous dans la rue poussiéreuse et aveuglante sous le chaud soleil de l'après-midi. Nous avons gagné la sortie du village et il nous a indiqué une maison éloignée, en marge du Chemin.

« Nous envoyons toujours de la nourriture, des vêtements, tout le nécessaire, s'est-il excusé. Mais même le prêtre ne va pas jusque là-bas. »

Nous avons pris congé de lui. Le vieux a attendu, pensant peut-être que nous ne nous arrêterions pas devant la maison. Mais Petrus a frappé à la porte. Quand je me suis retourné, le patron du bar avait disparu.

Une femme, qui semblait avoir la soixantaine, est venue ouvrir. Près d'elle, un énorme chien noir remuait la queue et paraissait se réjouir de la visite. La femme nous a demandé ce que nous voulions, disant qu'elle était occupée à la lessive et qu'elle avait laissé des casseroles sur le feu. Elle n'a pas paru étonnée de nous voir. J'en ai déduit que de nombreux pèlerins, qui ne connaissaient pas la malédiction, avaient dû frapper à cette porte en quête d'un abri.

« Nous sommes des pèlerins en route vers Compostelle et nous avons besoin d'un peu d'eau chaude, a dit Petrus. Je sais que vous n'allez pas refuser. »

Un peu à contrecœur, la vieille a ouvert grand la porte. Nous sommes entrés dans une petite pièce, propre mais pauvrement meublée. Il y avait un sofa dont la housse de plastique était déchirée, un buffet, une table en Formica et deux chaises. Sur le buffet, une image du Sacré Cœur de Jésus, des saints et un crucifix d'épines. Deux portes donnaient sur la petite salle : par l'une, je pouvais apercevoir la chambre ; par l'autre, qui donnait sur la cuisine, la femme a conduit Petrus.

« J'ai un peu d'eau bouillante, a-t-elle proposé. Je vais chercher un récipient et vous pourrez bientôt repartir par où vous êtes venus. »

Je suis resté seul dans la pièce avec le gros chien. Il remuait la queue, content et docile. Bientôt la femme est revenue avec une vieille boîte de conserve, l'a remplie d'eau chaude et l'a tendue à Petrus.

« Tenez. Partez et que Dieu vous bénisse. »

Mais Petrus n'a pas bougé. Il a pris un sachet de

thé dans son sac, l'a mis à infuser et a déclaré qu'il aimerait partager le peu qu'il possédait avec elle, pour la remercier de son accueil.

La femme, visiblement contrariée, est allée chercher deux tasses et s'est assise à la table avec Petrus. J'ai continué à regarder le chien, tout en écoutant leur conversation.

« On m'a dit dans le village qu'une malédiction pesait sur cette maison », a commenté Petrus, d'un ton neutre. Les yeux du chien se sont mis à briller, comme si lui aussi avait compris ces propos. La vieille s'est levée d'un bond.

« C'est un mensonge ! Une vieille superstition ! S'il vous plaît, finissez vite votre thé parce que j'ai beaucoup à faire. »

Le chien a senti le brusque changement d'humeur de la femme. Il est resté immobile, en état d'alerte. Mais Petrus était toujours aussi placide. Il a lentement versé le thé dans la tasse, a porté celle-ci à ses lèvres, puis l'a reposée sur la table sans en avaler une goutte.

« Il est très chaud. Attendons qu'il refroidisse un peu. »

La femme n'est pas revenue s'asseoir. Elle était visiblement incommodée par notre présence et regrettait de nous avoir ouvert la porte. Remarquant que je regardais fixement le chien, elle l'a appelé à ses côtés. L'animal a obéi, mais il s'est remis à m'observer.

« C'est pour cela, mon cher, a dit Petrus en se tournant vers moi, c'est pour cela que ton Messager est apparu hier sous les traits d'un enfant. »

Soudain, je me suis rendu compte que ce n'était pas moi qui regardais le chien. Depuis que j'étais entré, cet animal m'avait hypnotisé et avait gardé mes yeux rivés sur les siens. C'était le chien qui me regardait et faisait en sorte que j'accomplisse sa volonté. J'ai commencé à ressentir une grande fatigue, une envie de m'assoupir sur ce sofa déchiré, parce qu'il faisait très chaud dehors et que je n'avais pas envie de marcher. Tout cela me paraissait étrange, j'avais la sensation d'être tombé dans un piège. Le chien me fixait, et plus il me regardait, plus j'avais sommeil.

« Allons, a dit Petrus, en se levant et en me tendant la tasse de thé. Bois un peu, la dame désire nous voir partir vite. »

J'ai titubé, mais j'ai réussi à saisir la tasse et le thé chaud m'a revigoré. Je voulais dire quelque chose, demander le nom de l'animal, mais j'étais sans voix. Quelque chose en moi s'était réveillé, quelque chose que Petrus ne m'avait pas enseigné, mais qui commençait à se manifester. C'était un désir incontrôlable de prononcer des mots étranges dont j'ignorais moi-même le sens. J'ai cru que Petrus avait mis quelque chose dans le thé. Tout est devenu lointain, j'ai eu la vague

118

impression que la femme disait à Petrus que nous devions nous en aller. J'ai ressenti une sorte d'euphorie, et j'ai décidé de prononcer à voix haute les mots étranges qui me venaient à l'esprit.

Le chien était tout ce que je pouvais discerner dans la pièce. Lorsque j'ai commencé à formuler ces mots étranges, il s'est mis à grogner. Lui les comprenait. Excité, j'ai continué à parler de plus en plus haut. Le chien s'est dressé et il a montré les dents. Ce n'était plus l'animal docile que j'avais rencontré en arrivant, mais une bête mauvaise et menaçante qui pouvait m'attaquer à tout moment. Je savais que les mots me protégeaient, et je les ai prononcés d'une voix toujours plus forte, dirigeant toute ma force vers le chien, sentant en moi un pouvoir différent, un pouvoir qui empêchait l'animal de m'attaquer.

Dès lors, les événements se sont déroulés au ralenti. J'ai noté que la femme s'approchait de moi et tentait de me pousser dehors, que Petrus la retenait mais que le chien ne prêtait pas la moindre attention à leur querelle. Il avait les yeux fixés sur moi, et il s'est levé en grognant et en montrant les dents. J'essayais de comprendre la langue étrange que je parlais mais, chaque fois que je m'arrêtais pour en chercher le sens, le pouvoir diminuait et le chien s'approchait, devenait plus agressif. J'ai hurlé alors et la femme s'est

119

mise à crier elle aussi. Le chien aboyait et me menaçait mais, tant que je continuerais à parler, je serais sauf. J'ai entendu un grand éclat de rire, mais je ne savais si ce rire existait ou s'il était le fruit de mon imagination.

Soudain, comme si tout arrivait en même temps, le vent a envahi la maison, le chien a fait un grand bond et m'a sauté dessus. J'ai levé le bras pour me protéger le visage, j'ai crié un mot et j'ai attendu l'impact. L'animal s'est jeté sur moi de tout son poids et je suis tombé sur le sofa. Nos regards sont restés rivés l'un à l'autre quelques instants et, brusquement, il est sorti en courant.

Je me suis mis à pleurer abondamment. J'ai pensé à ma famille, ma femme et mes amis. J'éprouvais une immense sensation d'amour, une joie démesurée et absurde, mais j'étais conscient simultanément de toute cette histoire avec le chien. Petrus m'a pris par le bras et m'a mené dehors, la femme nous poussant tous les deux. J'ai regardé tout autour : il n'y avait plus trace du chien. Je me suis serré contre Petrus et j'ai continué à pleurer, tandis que nous cheminions sous le soleil.

Je n'ai pas gardé le souvenir de ce trajet, et je suis revenu à moi assis près d'une fontaine ;

Petrus m'humectait le visage et la nuque. J'ai réclamé à boire et il m'a dit que, si je buvais quoi que ce fût alors, je vomirais. J'avais un peu mal au cœur, mais je me sentais bien. Un amour immense, pour tous et pour tout, m'avait envahi. J'ai regardé à la ronde et j'ai vu les arbres au bord de la route, la petite fontaine où nous nous étions arrêtés, j'ai senti la brise fraîche et j'ai entendu le chant des oiseaux dans les bois. Je voyais le visage de mon ange, comme l'avait suggéré Petrus. J'ai demandé si nous étions loin de la maison de la femme. Il a répondu que nous avions marché environ un quart d'heure.

« Tu dois avoir envie de savoir ce qui s'est passé », a-t-il dit.

En réalité, cela n'avait pas la moindre importance. Le chien, la femme, le patron du bar, tout cela était de lointains souvenirs qui semblaient n'avoir aucun rapport avec ce que je ressentais à présent. J'ai proposé à Petrus de marcher un peu, parce que je me sentais bien.

Je me suis levé et nous avons repris le chemin de Saint-Jacques. Durant le reste de l'après-midi, je n'ai presque pas parlé, immergé dans ce sentiment bienfaisant qui paraissait tout emplir. De temps en temps, je songeais que Petrus avait mis une drogue dans le thé, mais cela non plus n'avait pas la moindre importance. L'important, c'était de contempler les montagnes, les ruisseaux, les fleurs au bord de la route, les traits glorieux du visage de mon ange.

Nous avons trouvé un hôtel à huit heures du soir, et j'étais toujours – bien qu'avec moins d'intensité – dans cet état de béatitude. Le patron a réclamé mon passeport pour l'enregistrement, et je le lui ai remis.

« Vous venez du Brésil ? J'y suis déjà allé. J'étais dans un hôtel sur la plage d'Ipanema. »

Cette phrase absurde m'a ramené à la réalité. Au beau milieu de la route de saint Jacques, dans un village construit des siècles auparavant, se trouvait un hôtelier qui connaissait la plage d'Ipanema.

« Je suis maintenant prêt pour la discussion, ai-je dit à Petrus. J'ai besoin de comprendre tout ce qui s'est passé aujourd'hui. »

La sensation de béatitude avait disparu. À la place surgissait de nouveau la raison, avec sa crainte de l'inconnu et le besoin urgent de remettre les pieds sur terre.

« Après dîner », a-t-il répondu.

Petrus a demandé au patron de l'hôtel d'allumer la télévision, mais sans le son. Il m'a expliqué

122

que c'était le meilleur moyen que j'entende tout sans poser trop de questions, parce qu'une partie de moi serait en train de regarder l'écran. Il a cherché à savoir jusqu'à quel point je me rappelais ce qui s'était passé. Je lui ai dit que je me souvenais de tout, sauf du moment où nous avions marché jusqu'à la fontaine.

« Cela n'a pas la moindre importance », a-t-il répliqué. À la télévision, commençait un film dont l'histoire avait un rapport avec des mines de charbon. Les personnages portaient des costumes du début du siècle.

« Hier, quand j'ai pressenti l'urgence de ton Messager, je savais qu'un combat allait s'engager sur le chemin de Saint-Jacques. Tu es ici pour trouver ton épée et apprendre les Pratiques de RAM. Mais, chaque fois qu'un guide conduit un pèlerin, il existe au moins une circonstance qui échappe au contrôle de l'un et de l'autre. C'est une sorte de test pratique de ce qui est enseigné. Dans ton cas, ce fut la rencontre avec le chien.

« Les détails de la lutte et la présence de nombreux démons dans un animal, je te les expliquerai plus tard. L'important maintenant est que tu comprennes que cette femme était accoutumée à la malédiction. Elle l'avait acceptée comme si c'était normal, et la mesquinerie du monde lui

semblait une bonne chose. Elle a appris à se satisfaire de très peu, alors que la vie est généreuse et
veut toujours nous donner beaucoup.

« Lorsque tu as expulsé les démons de cette
pauvre vieille, tu as aussi déséquilibré son univers. Nous avons discuté l'autre jour des cruautés
que les gens sont capables de commettre envers
eux-mêmes. Très souvent, quand on tente de
montrer le bien, de montrer que la vie est généreuse, ils en refusent l'idée comme si c'était le fait
du démon. Personne n'aime demander beaucoup
à la vie, parce qu'il a peur de l'échec. Mais celui
qui désire mener le Bon Combat doit regarder le
monde comme s'il s'agissait d'un trésor inépui-
sable, qui attend d'être découvert et conquis. »

Petrus m'a demandé si je savais ce que je faisais
là, sur le chemin de Saint-Jacques.

« Je suis à la recherche de mon épée, ai-je
répondu.

— Et pourquoi veux-tu ton épée ?

— Parce qu'elle m'apportera le pouvoir et la
sagesse de la Tradition. »

J'ai senti que ma réponse ne l'avait pas complètement satisfait. Il a repris :

« Tu es ici en quête d'une récompense. Tu oses
rêver et tu fais ton possible pour transformer ce
rêve en réalité. Tu dois mieux savoir ce que tu
feras de ton épée, il faut que cela soit clair avant

que nous parvenions jusqu'à elle. Mais tu as un avantage : tu es en quête d'une récompense. Tu ne parcours le chemin de Saint-Jacques que parce que tu désires être récompensé de ton effort. J'ai remarqué que tout ce que je t'ai enseigné, tu l'as appliqué en cherchant une fin pratique. C'est très positif.

« Il ne te reste plus qu'à associer les Pratiques de RAM et ta propre intuition. C'est le langage de ton cœur qui déterminera la manière correcte de découvrir et de diriger ton épée. Sinon, les Pratiques de RAM vont se perdre dans la sagesse inutile de la Tradition. »

Petrus m'avait déjà dit cela auparavant en d'autres termes et, même si j'étais d'accord avec lui, ce n'était pas ce qu'il m'intéressait de savoir. Deux choses s'étaient produites que je ne parvenais pas à expliquer : la langue différente que j'avais parlée, et la sensation de joie et d'amour que j'avais éprouvée après avoir chassé le chien.

« La sensation de joie est intervenue parce que ton geste a été touché par Agapè.

– Tu parles beaucoup d'Agapè, et jusqu'à présent tu ne m'as pas vraiment expliqué ce que c'est. J'ai l'impression qu'il s'agit d'une forme supérieure d'amour.

– C'est exactement cela. Le moment viendra bientôt de ressentir cet amour intense, cet Amour qui dévore celui qui aime. En attendant, contente-toi de savoir qu'il se manifeste librement en toi.

— J'ai déjà éprouvé cette sensation, mais de façon plus brève et différemment. Cela venait toujours après une réussite professionnelle, une conquête, ou lorsque je pressentais que la chance tournait en ma faveur. Cependant, quand cette sensation surgissait, je me fermais et j'avais peur de la vivre intensément. Comme si cette joie pouvait susciter l'envie des autres, ou comme si j'étais indigne de la recevoir.

— Nous agissons tous ainsi, avant de connaître Agapè », a-t-il reconnu, les yeux fixés sur l'écran de télévision.

Je l'ai interrogé alors sur la langue différente que j'avais parlée.

« Cela m'a surpris. Ce n'est pas une Pratique du chemin de Saint-Jacques. Il s'agit d'un charisme, qui fait partie des Pratiques de RAM sur le chemin de Rome. »

J'avais entendu parler des charismes, mais j'ai demandé à Petrus plus d'explications.

« Les charismes sont les dons du Saint-Esprit qui se manifestent en chacun de nous. Ce peut être le don de guérison, le don des miracles, le don de prophétie, entre autres. Tu as fait l'expérience du don des langues, celui qu'ont connu les apôtres le jour de la Pentecôte.

126

« Le don des langues est lié à la communication directe avec l'Esprit. Il est la condition des oraisons puissantes, des exorcismes – dans ton cas – et de la sagesse. Les journées de marche et les Pratiques de RAM, outre le danger que le chien représentait pour toi, ont réveillé par hasard le don des langues. Il ne reviendra plus, sauf si tu trouves ton épée et décides de suivre le chemin de Rome. De toute manière, c'était un bon présage. »

Sur l'écran de la télévision muette, l'histoire des mines de charbon s'était muée en une succession d'images où des hommes et des femmes parlaient sans arrêt, discutaient, conversaient. De temps en temps, un acteur et une actrice s'embrassaient.

« Encore une chose, a dit Petrus. Il se peut que tu rencontres de nouveau le chien. Dans ce cas, n'essaie pas de ressusciter le don des langues, parce qu'il ne reviendra pas. Fais confiance à ce que te dira ton intuition. Je vais t'enseigner une autre Pratique de RAM, qui va réveiller cette intuition. Ainsi, tu connaîtras peu à peu le langage secret de ton esprit, il te sera très utile à tous les moments de ta vie. »

Petrus a éteint la télévision juste au moment où je commençais à m'intéresser à l'intrigue. Puis il s'est dirigé vers le bar et il a commandé une bouteille d'eau minérale. Chacun de nous a bu quelques gorgées.

Nous sommes allés nous asseoir au frais et, pendant quelques instants, nul n'a rien dit. Le silence de la nuit nous entourait et la Voie lactée au firmament me rappelait sans cesse mon objectif : trouver l'épée. Au bout d'un moment, Petrus m'a enseigné L'EXERCICE DE L'EAU.

« Je suis fatigué et je vais me coucher, a-t-il dit. Mais fais cet exercice maintenant. Réveille ton intuition, ton côté secret. Ne t'inquiète pas pour la logique, l'eau est un élément fluide et elle ne se laissera pas dominer si facilement. Mais elle va te permettre d'élaborer peu à peu, sans violence, un nouveau rapport à l'univers. »

Il a conclu, avant d'entrer dans l'hôtel :

« Ce n'est pas tous les jours qu'on est aidé par un chien. »

J'ai savouré encore un peu la fraîcheur et le silence de la nuit. L'hôtel était loin de toute ville, personne ne passait sur la route devant moi. Je me suis souvenu du patron, qui connaissait Ipanema et qui avait dû trouver absurde ma présence dans cet endroit aride, que le soleil brûlait chaque jour avec la même furie.

J'avais sommeil et j'ai décidé de réaliser sans tarder l'exercice. J'ai répandu le reste de la bouteille d'eau sur le sol en ciment. Une flaque s'est

Le réveil de l'Intuition
(l'exercice de l'Eau)

Forme une flaque d'eau sur une surface lisse et non absorbante. Contemple-la pendant un certain temps. Puis commence à jouer, sans aucun engagement, sans aucun objectif, avec l'eau. Trace des dessins qui ne veulent absolument rien dire. Exécute cet exercice tous les jours durant une semaine, pendant dix minutes au moins chaque fois.

Ne recherche pas de résultats pratiques, cet exercice réveille peu à peu ton Intuition. Lorsqu'elle se manifestera à d'autres heures du jour, fie-toi toujours à elle.

formée immédiatement. Il n'y avait aucune image ni forme, et ce n'était pas ce que je cherchais. Mes doigts se promenaient sur l'eau froide, et je me suis mis à ressentir le genre d'hypnose que l'on éprouve devant un feu. Je ne pensais à rien, je m'amusais. Je m'amusais avec une flaque d'eau. J'ai dessiné quelques traits sur les bords et elle a paru se transformer en un soleil mouillé, mais tout de suite les traits se mêlaient et se fondaient. La main à plat, j'ai frappé le centre de la flaque ; elle s'est étendue, couvrant le ciment de gouttes, étoiles noires sur fond gris. Je me livrais totalement à cet exercice extravagant, sans la moindre finalité, mais plaisant à réaliser. J'ai senti que mon esprit s'était presque complètement arrêté de réfléchir, ce que je ne réussissais à atteindre qu'au bout de longues méditations et relaxations. Parallèlement, quelque chose me disait que, dans les profondeurs de mon être, dans les endroits les plus enfouis, une force prenait corps et s'apprêtait à se manifester.

Je suis resté longtemps à jouer avec la flaque, il m'a été difficile de mettre fin à l'exercice. Si Petrus m'avait enseigné l'exercice de l'Eau au début du voyage, j'aurais certainement trouvé que c'était une perte de temps. Mais maintenant que j'avais parlé des langues différentes et expulsé les démons, cette flaque d'eau établissait un contact –

même fragile – avec la Voie lactée. Elle reflétait ses étoiles, exécutant des dessins que je ne parvenais pas à interpréter, et elle me donnait la sensation, non pas de perdre du temps, mais de créer un nouveau code de communication avec le monde. Le code secret de l'âme, la langue que nous connaissons et que nous entendons si peu.

Lorsque je m'en suis rendu compte, il était déjà très tard. Les lumières devant la porte étaient éteintes et je suis rentré sans bruit. Dans ma chambre, j'ai invoqué une fois encore Astrain. Il est apparu plus nettement, et je lui ai parlé quelque temps de mon épée et de mes objectifs dans la vie. Il ne m'a rien répondu, mais Petrus m'avait prévenu qu'Astrain, au détour des invocations, allait devenir une présence vivante et puissante à mes côtés.

Le Mariage

Logroño est l'une des plus grandes villes que traversent les pèlerins qui suivent la route de saint Jacques. Auparavant, nous n'avions franchi qu'une ville importante, Pampelune, où nous n'avions pas passé la nuit. L'après-midi de notre arrivée à Logroño, une grande fête se préparait, et Petrus a suggéré que nous y restions au moins cette nuit-là.

Je m'étais habitué au silence et à la liberté de la campagne, si bien que je n'ai pas beaucoup apprécié l'idée. Cinq jours s'étaient écoulés depuis l'incident avec le chien, et chaque soir j'invoquais Astrain et je réalisais l'exercice de l'Eau. Je me sentais beaucoup plus calme, conscient de l'importance du chemin de Saint-Jacques pour ce que j'allais faire plus tard. Malgré l'aridité du paysage, la nourriture pas toujours très bonne, et la fatigue provoquée par des journées entières de marche, je vivais un véritable rêve.

Tout cela a disparu le jour où nous sommes arrivés à Logroño. Ce n'était plus l'air chaud et pur des campagnes de l'arrière-pays, mais une ville pleine de voitures, de journalistes et d'équipes de télévision. Petrus est entré dans le premier bar pour demander ce qui se passait.

« Comment! Vous ne savez pas? C'est le mariage de la fille du colonel M., a répondu un homme. Nous allons avoir un grand banquet public sur la place et aujourd'hui je ferme plus tôt. »

Il était difficile de trouver un hôtel. Pourtant un couple de vieux, qui avaient repéré la coquille sur le sac de Petrus, nous ont proposé le gîte. Nous avons pris un bain, j'ai enfilé le seul pantalon de rechange que j'avais apporté, et nous sommes sortis.

Sur la place, des dizaines de domestiques, transpirant sous leur smoking ou leur robe noire, apportaient la dernière touche aux tables disposées de toutes parts. La télévision espagnole filmait quelques-uns des préparatifs. Nous nous sommes engagés dans une petite rue qui donnait sur la paroisse de Saint-Jacques-le-Royal, où la cérémonie allait débuter.

Des invités bien habillés, des femmes dont le maquillage allait bientôt couler sous l'effet de la température, des enfants en costume blanc, l'air

134

boudeur, entraient sans répit dans l'église. Quelques fusées de feux d'artifice ont éclaté et une limousine noire s'est arrêtée devant le portail principal. C'était le fiancé qui arrivait. Petrus et moi, n'étant pas parvenus à pénétrer dans l'église bondée, avons décidé de retourner sur la place. Il est allé faire un tour et je me suis assis sur un banc, en attendant que le mariage se terminât et que l'on servît le banquet. À côté de moi, un marchand de pop-corn attendait la fin de la cérémonie pour augmenter ses ventes.

« Vous aussi vous êtes invité ? m'a-t-il demandé.

– Non. Nous sommes des pèlerins de Compostelle.

– De Madrid il y a train direct pour s'y rendre et, si vous le prenez le vendredi, vous avez droit à l'hôtel gratuit.

– Mais nous faisons un pèlerinage. »

Le marchand m'a regardé et il a répliqué d'un air grave : « Le pèlerinage est une affaire de saint. »

J'ai préféré ne pas insister. Le vieux s'est mis à raconter qu'il avait marié sa fille mais qu'elle vivait à présent séparée de son mari.

« À l'époque de Franco, on avait beaucoup plus de respect, a-t-il dit. De nos jours, personne ne s'intéresse plus à la famille. »

Même dans un pays étranger, où il n'est pas

conseillé de discuter politique, je ne pouvais laisser passer cela sans répondre. J'ai dit que Franco était un dictateur et que rien, de ce temps-là, ne pouvait avoir été positif.

Le vieux est devenu tout rouge.

« Qui êtes-vous pour parler comme ça ?

– Je connais l'histoire de votre pays. Je sais que votre peuple a lutté pour la liberté. J'ai lu les crimes de la guerre civile en Espagne.

– J'ai fait la guerre. Je peux parler parce que le sang de ma famille a coulé. L'histoire que vous avez lue ne m'intéresse pas ; ce qui m'intéresse, c'est ce qui se passe dans ma famille. J'ai lutté contre Franco mais, après sa victoire, ma vie s'est améliorée. Je ne suis pas pauvre et j'ai une charrette de pop-corn. Ce n'est pas ce gouvernement socialiste qui m'a aidé à l'obtenir. Je vis plus mal aujourd'hui qu'autrefois. »

Je me suis rappelé ce que disait Petrus, que les gens se contentent de très peu dans l'existence. Je n'ai pas insisté et j'ai changé de banc.

Petrus m'a rejoint. Je lui ai raconté l'histoire du marchand de pop-corn.

« C'est très bien de discuter, a-t-il commenté, quand on veut se convaincre de ce que l'on est en train de dire. Je suis au PCI [1] et je ne connaissais pas chez toi ce côté fasciste.

1. Parti communiste italien.

— Quel côté fasciste ? me suis-je exclamé, indigné.

— Tu as aidé le vieux à se convaincre que le régime de Franco était meilleur. Peut-être n'avait-il jamais su pourquoi. Maintenant il le sait.

– Je suis très surpris d'apprendre que le PCI croit aux dons du Saint-Esprit. »

Nous avons ri. De nouveaux feux d'artifice ont éclaté. Un orchestre s'est installé sur le kiosque de la place et les musiciens ont accordé leurs instruments. La fête allait commencer d'un moment à l'autre.

J'ai regardé le ciel. La nuit tombait et quelques étoiles apparaissaient. Petrus s'est approché d'un garçon et celui-ci est revenu avec deux verres en plastique remplis de vin.

« Cela porte chance de boire un peu avant le début de la fête, a dit Petrus en me tendant un verre. Cela t'aidera à oublier le vieux au pop-corn.

– Je n'y pense déjà plus.

– Pourtant, tu devrais. Ce qui s'est passé est un message symbolique signalant un comportement incorrect. Nous essayons sans cesse de conquérir des adeptes de nos explications de l'univers. Nous pensons que le nombre de gens croyant en la même chose que nous va faire de cette chose une réalité. Cela n'a rien à voir.

« Regarde autour de toi. Une grande fête se pré-

137

pare. Bien des choses seront célébrées en même temps : le rêve du père qui voulait marier sa fille, le rêve de la fille qui voulait se marier, le rêve du fiancé. C'est bien, parce qu'ils croient en ce rêve et veulent montrer à tous qu'ils ont atteint un but. Ce n'est pas une fête pour convaincre qui que ce soit, c'est pourquoi elle sera divertissante. Tout indique que ce sont des gens qui ont mené le Bon Combat de l'amour.

– Mais toi, tu essaies de me convaincre, Petrus. Tu me guides sur le chemin de Saint-Jacques. »

Il m'a dévisagé froidement :

« Je t'enseigne les Pratiques de RAM. Mais tu arriveras jusqu'à ton épée seulement si tu découvres que, dans ton cœur, se trouvent le chemin, la vérité et la vie. »

Il a pointé son doigt en direction du ciel où les étoiles étaient déjà visibles.

« La Voie lactée montre le chemin jusqu'à Compostelle. Aucune religion n'est capable de rassembler toutes les étoiles, parce que si c'était le cas, l'univers deviendrait un gigantesque espace vide et perdrait sa raison d'exister. Chaque étoile – et chaque homme – possède son espace et ses caractéristiques propres. Il existe des étoiles vertes, jaunes, bleues, blanches, des comètes, des météores et des météorites, des nébuleuses et des anneaux. Ce qui, de la Terre, paraît une portion

138

de petits points égaux se compose en réalité de millions d'éléments différents, dispersés dans un espace qui dépasse la compréhension humaine. »

Une gerbe du feu d'artifice a éclaté et sa lumière a masqué un temps les étoiles. Une cascade de particules vertes et brillantes est retombée dans l'atmosphère.

« Avant, nous en percevions seulement le bruit, parce qu'il faisait jour. À présent, nous pouvons voir sa lumière, a conclu Petrus. C'est le seul changement auquel l'homme puisse aspirer. »

La mariée est sortie de l'église et la foule a jeté du riz et crié des vivats. C'était une fille maigre, d'environ dix-sept ans, qui donnait le bras à un garçon en habit de gala. La foule aussi se dirigeait vers la place.

« Voilà le colonel M. ! Regardez la robe de la mariée ! Elle est belle ! » s'exclamaient des jeunes filles près de nous.

Les invités se sont approchés des tables, les garçons ont servi le vin et l'orchestre s'est mis à jouer. Le marchand a été immédiatement entouré d'une foule de gamins hystériques qui lui tendaient une pièce et répandaient vite les sachets de pop-corn sur le sol. Je me suis dit que pour les habitants de Logroño, du moins ce soir, le reste du monde, la menace d'une guerre nucléaire, le chômage, les crimes, n'existait pas. Ce soir c'était la fête, les tables étaient dressées sur la place pour le peuple, et chacun se sentait important.

Une équipe de télévision se dirigeait vers nous et Petrus a dissimulé son visage. Mais elle est allée droit vers l'un des convives qui se tenait près de nous. J'ai aussitôt reconnu l'intéressé : c'était Manolo, dirigeant de l'équipe d'Espagne lors de la Coupe du monde de football au Mexique. L'interview terminée, je suis allé à sa rencontre. Je lui ai dit que j'étais brésilien, et lui, feignant l'indignation, a protesté contre un but volé au cours du premier match de la Coupe du monde [1]. Mais, très vite, il m'a donné l'accolade et il a affirmé que le Brésil aurait de nouveau les meilleurs joueurs du monde.

« Comment peux-tu voir le jeu si tu cours sans arrêt sur le terrain, à animer l'équipe ? » ai-je demandé. C'était l'une des choses qui avait le plus attiré mon attention pendant les retransmissions de la Coupe du monde.

« Mon plaisir est là : aider l'équipe à croire en la victoire. »

1. Au cours du match Espagne-Brésil, lors de la Coupe du monde au Mexique, en 1986, un but espagnol fut annulé parce que l'arbitre n'avait pas vu que la balle avait frappé derrière la ligne de touche avant de ricocher. Le Brésil sortit vainqueur par 1 à 0.

Et il a conclu, comme s'il était lui aussi un guide sur les chemins de Saint-Jacques :

« Une équipe qui n'a pas la foi fait perdre à son club un jeu victorieux. »

Manolo a été bientôt sollicité par d'autres personnes, mais j'ai continué à réfléchir à ses propos. Même sans avoir jamais parcouru la route de saint Jacques, lui aussi savait ce qu'était mener le Bon Combat.

J'ai retrouvé Petrus caché dans un coin, manifestement incommodé par la présence des équipes de télévision. C'est seulement une fois les projecteurs éteints qu'il a émergé de derrière les arbres de la place et s'est un peu détendu. Nous avons commandé deux autres verres de vin, je me suis fait une assiette de canapés, et Petrus a découvert une table où nous sommes allés nous asseoir en compagnie d'autres convives.

Les jeunes mariés ont découpé une imposante pièce-montée. D'autres vivats ont résonné.

« Ils doivent s'aimer, ai-je pensé à haute voix.

– Bien sûr qu'ils s'aiment, a renchéri un monsieur en costume sombre assis à notre table. Vous avez déjà vu quelqu'un se marier pour un autre motif ? »

J'ai gardé la réponse par-devers moi, me souvenant des paroles de Petrus au sujet du marchand de pop-corn. Mais mon guide n'a pas laissé passer la remarque.

« À quel genre d'amour faites-vous allusion : Éros, Philos ou Agapè ? »

Le monsieur l'a regardé, interloqué. Petrus s'est levé, a rempli son verre, et il a proposé que nous allions nous dégourdir les jambes.

« En grec, il existe trois mots pour désigner l'amour, a-t-il commencé. Aujourd'hui tu assistes à une manifestation d'Éros, ce sentiment entre deux personnes. »

Les mariés souriaient pour les photos et recevaient des félicitations.

« Ils ont l'air de s'aimer, a-t-il dit en désignant le couple. Ils pensent que l'amour est une chose qui se développe. Bientôt, ils lutteront seuls dans la vie, ils fonderont un foyer et partageront la même aventure. Cela grandit l'amour et le rend digne. Lui va poursuivre sa carrière dans l'armée, elle doit savoir faire la cuisine et être une excellente maîtresse de maison, parce qu'elle a été éduquée dans ce sens depuis son enfance. Elle va l'accompagner, ils auront des enfants et, s'ils sentent qu'ils construisent quelque chose ensemble, c'est qu'ils mènent la lutte du Bon Combat. Alors, malgré toutes les embûches, ils ne cesseront jamais d'être heureux.

« Cependant, l'histoire que je te raconte peut

avoir un déroulement inverse. Lui peut commencer à ressentir qu'il n'est pas libre, ou pas suffisamment, de manifester tout l'Éros, tout l'amour qu'il éprouve pour d'autres femmes. Elle peut commencer à prendre conscience qu'elle a sacrifié une carrière et une vie brillantes pour suivre son mari. Alors, au lieu d'une création commune, chacun se sentira volé dans sa façon d'aimer. Éros, l'esprit qui les unit, ne montrera peu à peu que son mauvais aspect. Et ce que Dieu avait destiné à l'homme comme son plus noble sentiment deviendra source de haine et de destruction. »

J'ai regardé alentour. Éros était présent au sein de nombreux couples. L'exercice de l'Eau avait réveillé le langage de mon cœur, et je voyais les gens de manière différente. Peut-être étaient-ce les jours de solitude dans la campagne, peut-être même les Pratiques de RAM. Je pouvais distinguer la présence du bon Éros et du mauvais Éros, exactement comme Petrus l'avait décrit.

« Regarde comme c'est curieux, a repris mon guide qui avait noté la même chose. Qu'il soit bon ou mauvais, Éros prend un visage différent pour chaque personne. Tout comme les étoiles dont je parlais il y a une demi-heure. Personne ne peut échapper à Éros. Nous avons tous besoin de sa présence – même si souvent, de son fait, nous nous sentons éloignés du monde, repliés dans notre solitude. »

L'orchestre a entamé une valse. Les gens se sont dirigés vers une piste en ciment située devant le kiosque et se sont mis à danser. Sous l'effet de l'alcool, tout le monde était grisé et semblait plus heureux. J'ai remarqué une jeune fille vêtue de bleu qui avait dû attendre ce mariage précisément pour cette valse – parce qu'elle voulait danser avec quelqu'un à qui elle rêvait d'être enlacée depuis son entrée dans l'adolescence. Elle suivait des yeux les mouvements d'un garçon élégant, en costume clair, qui se trouvait avec un groupe d'amis. Ils discutaient allègrement et ne s'étaient pas aperçus que la valse avait commencé et que, à quelques mètres de là, une jeune fille en bleu regardait l'un d'eux avec insistance.

J'ai pensé aux petites villes, aux mariages rêvés depuis l'enfance avec le garçon choisi.

La fille en bleu a remarqué que je l'observais et elle a quitté le bord de la piste. À son tour, le garçon l'a cherchée des yeux. Quand il a découvert qu'elle se tenait en compagnie d'autres filles, il a repris sa conversation animée.

J'ai attiré l'attention de Petrus sur les deux jeunes gens. Il a suivi un certain temps le jeu des regards, puis il a reporté son attention sur son verre de vin.

« Ils se comportent comme s'il était honteux de montrer qu'ils s'aiment », a-t-il déclaré pour seul commentaire.

Face à nous, une jeune fille nous fixait tous deux. Elle devait avoir deux fois moins que notre âge. Petrus lui a porté un toast en levant son verre. La gamine a ri, un peu gênée, et d'un geste elle nous a montré ses parents, s'excusant presque de ne pas s'approcher davantage.

« Voilà le beau côté de l'amour, a-t-il dit. L'amour qui défie, l'amour pour deux étrangers plus âgés qui sont venus de loin et demain seront déjà partis. Pour un monde qu'elle aimerait elle aussi parcourir. »

J'ai perçu dans sa voix que le vin l'avait grisé légèrement.

« Aujourd'hui nous allons parler d'amour! a clamé mon guide d'un ton un peu fort. Nous allons parler de cet amour véritable, qui croît sans cesse, fait bouger le monde et rend l'homme sage! »

Une femme près de nous, bien habillée, semblait ne prêter aucune attention à la fête. Elle allait de table en table, rangeant les verres, les assiettes et les fourchettes.

« Regarde cette femme qui n'arrête pas de faire le ménage, a dit Petrus. Tu le sais, il existe bien des aspects d'Éros, et celui-ci en est un. C'est l'amour frustré qui se réalise dans le malheur d'autrui. Elle va embrasser le marié et la mariée, mais en son for intérieur elle murmurera qu'ils

145

n'étaient pas faits l'un pour l'autre. Elle essaie de mettre le monde en ordre parce qu'elle-même est en désordre. Et là », il a montré un autre couple, la femme exagérément maquillée et la coiffure apprêtée, « c'est l'Éros admis : l'amour social, sans le moindre vestige d'émotion. Elle a accepté son rôle et elle a coupé tous les liens avec le monde et le Bon Combat.

– Tu es très amer, Petrus. N'y a-t-il personne ici qui en réchappe ?

– Bien sûr que si. La jeune fille qui nous a regardés. Les adolescents qui dansent et qui ne connaissent que le bon Éros. S'ils ne se laissent pas influencer par l'hypocrisie de l'amour qui a dominé la génération précédente, le monde sera certainement différent. »

Il a désigné ensuite un couple de vieillards, assis à une table.

« Ces deux-là aussi. Ils ne se sont pas laissé gagner par l'hypocrisie comme beaucoup d'autres. D'après leur apparence, ce doit être un couple de paysans. La faim et le besoin les ont obligés à travailler ensemble. Ils ont appris les Pratiques que tu connais sans jamais avoir entendu parler de RAM. Parce qu'ils ont puisé la force de l'amour dans leur propre travail. Éros découvre là son plus beau visage, car il est uni à Philos.

– Qu'est-ce que Philos ?

– Philos est l'Amour sous la forme de l'amitié. C'est ce que je ressens pour toi et pour d'autres. Lorsque la flamme d'Éros ne parvient plus à briller, c'est Philos qui maintient les couples unis.

– Et Agapè ?

– Ce n'est pas le jour de parler d'Agapè. Agapè se trouve en Éros et en Philos, mais ce n'est qu'une phrase. Allons nous amuser dans cette fête, sans toucher à l'Amour qui dévore » – et Petrus s'est resservi du vin.

Autour de nous, la joie était contagieuse. Petrus était ivre. Cela m'a d'abord un peu choqué. Mais je me suis rappelé ce qu'il avait dit un après-midi : que les Pratiques de RAM n'avaient de sens que si elles pouvaient être réalisées par une personne ordinaire. Petrus me paraissait, cette nuit, un homme comme tous les autres. Il était camarade, ami, tapant dans le dos des gens et discutant avec qui lui prêtait attention. Peu après, il était tellement saoul que j'ai dû le soutenir pour le ramener à l'hôtel.

Chemin faisant, je me suis rendu compte de la situation. J'étais en train de guider mon guide. J'ai compris qu'à aucun moment de tout notre voyage Petrus n'avait fait le moindre effort pour paraître plus sage, plus saint ou meilleur que moi. Il s'était contenté de me transmettre son expérience des Pratiques de RAM. Par ailleurs, il tenait à montrer qu'il était un homme comme les autres, capable d'éprouver Éros, Philos et Agapè.

Je m'en suis senti renforcé. Le chemin de Saint-Jacques était aux gens ordinaires.

L'Enthousiasme

Même si je parle la langue des hommes et des anges; même si j'ai le don de prophétiser et une foi à transporter des montagnes, sans l'amour, je ne serais rien.

Petrus revenait à saint Paul. Pour lui l'apôtre était le grand interprète occulte du message du Christ. Nous pêchions cet après-midi-là, après une matinée de marche. Aucun poisson n'avait mordu à l'hameçon, mais mon guide n'y accordait aucune importance. Selon lui, l'exercice de la pêche était plus ou moins un symbole de la relation entre l'homme et le monde : nous savons ce que nous voulons, nous l'atteindrons si nous insistons, mais le temps nécessaire pour parvenir à l'objectif dépend de l'aide que nous accorde Dieu.

« Il est toujours bon d'avoir une activité lente avant de prendre une décision importante dans la vie, a-t-il dit. Les moines zen écoutent les rochers grandir. Moi, je préfère pêcher. »

À cette heure, avec la chaleur, même les poissons rouges et paresseux – presque à fleur d'eau – ne mordaient pas à l'hameçon. Que la ligne fût hors de l'eau ou dedans, le résultat était le même. J'ai préféré laisser tomber et faire un tour dans les environs. J'ai marché jusqu'à un vieux cimetière abandonné – dont la porte est absolument disproportionnée – puis j'ai rejoint Petrus. Je l'ai interrogé sur le cimetière.

« La porte était celle d'un ancien hospice de pèlerins, a-t-il répondu. Mais celui-ci fut abandonné. Quelqu'un, plus tard, eut l'idée de profiter de la façade et de construire le cimetière.

– Lui aussi abandonné.

– En effet. Les choses durent très peu dans cette vie. »

Je lui ai dit que, la veille au soir, il s'était montré très dur quand il avait jugé les gens à la fête. Petrus en a été surpris. Il a affirmé que ce dont nous avions parlé n'était ni plus ni moins que ce que nous avions connu dans nos vies personnelles. Nous sommes tous à la poursuite d'Éros, et lorsque Éros veut se transformer en Philos, nous trouvons que l'amour est inutile. Sans comprendre que c'est Philos qui nous conduira jusqu'à la forme supérieure de l'amour, Agapè.

150

-- Parle-moi d'Agapè », ai-je demandé.

Petrus a répondu que l'on ne pouvait parler d'Agapè, qu'il fallait le vivre. Si l'occasion se présentait, il me montrerait encore cet après-midi un des aspects d'Agapè. Mais pour cela, il fallait que l'univers se comportât comme lors de la pêche : en apportant sa collaboration pour que tout se déroulât bien.

« Le Messager t'aide, mais il y a quelque chose au-delà du domaine du Messager, de tes désirs et de toi-même.

– Qu'est-ce ?

– L'étincelle divine. Ce que les gens appellent la chance. »

Quand le soleil a commencé à descendre, nous avons repris notre marche. La route de saint Jacques traversait des vignobles et des champs cultivés, déserts à cette heure. Nous avons croisé la route principale, elle aussi déserte, et nous sommes retournés dans les broussailles. J'apercevais au loin le pic de San Lorenzo, point culminant du royaume de Castille. Bien des choses avaient changé en moi depuis que j'avais rencontré Petrus, près de Saint-Jean-Pied-de-Port. Mes préoccupations – le Brésil, mes affaires – avaient presque disparu de mon esprit. Seul demeurait mon objectif, discuté chaque nuit avec Astrain, qui m'apparaissait de plus en plus nettement. Je parvenais à le voir toujours assis près de moi, je remarquais qu'il avait un tic nerveux à l'œil droit, et qu'il souriait avec dédain chaque fois que je lui répétais certaines choses pour m'assurer qu'il avait compris. Quelques semaines plus tôt, en particulier les premiers jours, il m'était arrivé de craindre de ne jamais parvenir au bout du chemin. À l'époque de notre passage par Roncevaux, j'avais ressenti un ennui profond envers tout cela, et le désir d'arriver rapidement à Saint-Jacques, de récupérer mon épée et de retourner mener ce que Petrus appelait le Bon Combat [1]. Désormais, les attaches de la civilisation, abandonnées à contrecœur, étaient presque oubliées. Tout ce qui me préoccupait maintenant, c'était le soleil au-dessus de ma tête, et l'excitation d'éprouver Agapè.

Nous sommes descendus dans une fondrière. Nous avons traversé un ruisseau et fait beaucoup d'efforts pour escalader la rive opposée. Ce ruisseau avait certainement été autrefois une rivière qui creusait le sol à la recherche des profondeurs et des secrets de la terre. Ce n'était plus qu'un rû que l'on pouvait franchir à pied. Mais son

---

1. En réalité, je vins à le découvrir plus tard, l'expression a été créée par saint Paul.

ouvrage, l'immense fossé qu'il avait formé, demeurait. « Tout dans cette vie dure peu », avait dit Petrus quelques heures auparavant.

« Petrus, as-tu beaucoup aimé ? »

La question m'était venue spontanément, et j'ai été moi-même surpris de mon audace. Jusque-là, je ne connaissais que fort peu de choses de la vie privée de mon guide.

« J'ai eu beaucoup de femmes, si c'est ce que tu veux dire. Je les ai toutes beaucoup aimées. Mais je n'ai éprouvé Agapè qu'avec deux d'entre elles. »

Je lui ai raconté que moi aussi j'avais beaucoup aimé et que je commençais à m'inquiéter de ne pouvoir me fixer avec personne. Si je continuais ainsi, j'allais finir en vieillard solitaire et cela me faisait très peur.

« Recrute une infirmière, a-t-il dit en riant. Mais enfin, je ne crois pas que tu cherches dans l'amour une retraite confortable. »

Il était presque neuf heures du soir quand la nuit est tombée. Nous avions dépassé les champs de treilles et nous nous trouvions dans un paysage quasi désertique. J'ai regardé alentour et j'ai distingué au loin une chapelle taillée dans la pierre, semblable à de nombreuses autres que nous avions aperçues en chemin. Nous avons avancé un peu et nous nous sommes écartés des marques jaunes, en coupant tout droit jusqu'à la petite construction.

Lorsque nous avons été suffisamment près, Petrus a crié un nom que je n'ai pas compris et il s'est arrêté pour écouter la réponse. Mais nous n'avons rien entendu. Petrus a appelé de nouveau et personne n'a répondu.

« Allons-y », a-t-il dit.

Il n'y avait que quatre murs blanchis à la chaux. La porte était ouverte – ou plutôt il n'y avait pas de porte, mais un petit portail de cinquante centimètres de haut, retenu de façon précaire par une seule charnière. À l'intérieur, un fourneau fait de pierres et quelques jattes soigneusement empilées sur le sol. Deux d'entre elles étaient remplies de blé et de pommes de terre.

Nous nous sommes assis en silence. Petrus a allumé une cigarette et il a proposé que nous attendions un peu. J'ai senti la fatigue dans mes jambes, mais quelque chose dans cette chapelle, au lieu de me calmer, m'excitait et, sans la présence de Petrus, m'aurait aussi effrayé.

« Quelle que soit la personne qui vit ici, où dort-elle ? ai-je demandé, rompant ce silence qui commençait à m'être pénible.

– Là où tu es assis », a répondu Petrus en indiquant le sol nu. J'ai voulu changer de place, mais il m'a demandé de rester exactement là où je me trouvais. La température avait dû baisser un peu, car j'ai commencé à avoir froid.

Nous avons attendu presque une heure entière. Petrus a appelé encore deux fois ce nom étrange, puis il a renoncé. Au moment où je croyais que nous allions nous lever pour partir, il s'est mis à parler.

« Ici est présente l'une des deux manifestations d'Agapè, a-t-il expliqué en éteignant sa troisième cigarette. Ce n'est pas la seule, mais c'est l'une des plus pures. Agapè est l'amour total, l'Amour qui dévore celui qui l'éprouve. Celui qui connaît ou qui ressent Agapè voit que rien d'autre qu'aimer n'a d'importance dans ce monde. C'est cet amour que Jésus a ressenti pour l'humanité, et il fut si grand qu'il a ébranlé les étoiles et changé le cours de l'histoire humaine. Sa vie solitaire a réussi à faire ce que les rois, les armées et les empires avaient échoué à obtenir.

« Pendant les millénaires de l'histoire de la civilisation, bien des gens ont été pris par cet Amour qui dévore. Ils avaient tant à donner, et le monde exigeait si peu, qu'ils furent obligés de chercher les déserts et les lieux isolés, parce que l'amour était si grand qu'il les transfigurait. Ils devinrent les saints ermites que nous connaissons aujourd'hui.

« Pour moi et pour toi, qui éprouvons une autre forme d'Agapè, cette vie ici-bas peut paraître dure, terrible. Cependant, l'Amour qui dévore fait perdre à tout – absolument tout – son importance. Ces hommes ne vivent que pour être consumés par leur amour. »

Petrus m'a raconté qu'ici vivait un homme du nom d'Alfonso. Il l'avait rencontré lors de son premier pèlerinage à Compostelle, alors qu'il cueillait des fruits. Son guide, un homme bien plus visionnaire que lui, était un ami d'Alfonso, et tous les trois avaient réalisé le rituel d'Agapè, l'exercice du Globe bleu. Petrus a dit que cette expérience avait été l'une des plus importantes de sa vie et, aujourd'hui encore, quand il accomplissait cet exercice, il songeait à la chapelle et à Alfonso. L'émotion perçait dans sa voix, et c'était la première fois que je discernais cela.

« Agapè est l'Amour qui dévore », a-t-il répété, comme si cette expression était ce qui définissait le mieux cette étrange sorte d'amour. « Martin Luther King a dit une fois que, lorsque le Christ a parlé d'aimer ses ennemis, il faisait allusion à Agapè. Parce que, selon lui, il était " impossible d'aimer nos ennemis, ceux qui nous font du mal et qui tentent de rabaisser notre souffrance quotidienne ". Mais Agapè est beaucoup plus que l'amour. C'est un sentiment qui envahit tout, qui entre par toutes les fenêtres et transforme en poussière toute tentative d'agression.

« Tu as appris à renaître, à n'être pas cruel envers toi-même, à converser avec ton Messager. Mais tout ce que tu as fait jusqu'à présent, tout le bénéfice que tu as réussi à tirer du chemin de Saint-Jacques n'aura de sens que si tu es touché par l'Amour qui dévore. »

J'ai rappelé à Petrus qu'il avait parlé de deux formes d'Agapè. Lui probablement n'avait pas connu cette première forme, puisqu'il n'était pas devenu ermite.

« Tu as raison. Toi et moi, comme la plupart des pèlerins qui ont connu le chemin de Saint-Jacques à travers les paroles de RAM, nous avons éprouvé Agapè sous son autre forme : l'enthousiasme.

« Chez les Anciens, enthousiasme signifie transe, ravissement, relation à Dieu. L'enthousiasme est Agapè dirigé vers une idée, un objet. Nous en avons tous fait l'expérience. Quand nous aimons et croyons du fond de notre âme en quelque chose, nous nous sentons plus forts que le monde, et nous sommes pris d'une sérénité qui provient de la certitude que rien ne pourra vaincre notre foi. Cette force étrange nous fait

157

toujours prendre les bonnes décisions au moment voulu et, lorsque nous atteignons notre objectif, nous sommes surpris de nos propres capacités. Car, au cours du Bon Combat, rien n'a plus d'importance, nous sommes portés par l'enthousiasme jusqu'à notre but.

« L'enthousiasme se manifeste normalement de toute sa puissance pendant les premières années de notre vie. Nous sommes encore très liés au divin, et nous nous attachons si fort à nos jouets que nos poupées prennent vie et que nos petits soldats de plomb parviennent à marcher. Quand Jésus a dit que le royaume des cieux appartenait aux enfants, il faisait allusion à Agapè sous la forme de l'enthousiasme. Les enfants sont venus à lui sans s'intéresser à ses miracles, à sa sagesse, aux pharisiens et aux apôtres. Ils venaient heureux, mus par l'enthousiasme. »

J'ai raconté à Petrus que, cet après-midi-là justement, j'avais compris que j'étais totalement engagé dans le chemin de Saint-Jacques. Ces jours et ces nuits passés sur les terres d'Espagne m'avaient presque fait oublier mon épée et s'étaient transformés en une expérience unique. Tout le reste avait perdu son importance.

« Cet après-midi, nous sommes allés à la pêche et les poissons n'ont pas mordu à l'hameçon, a rappelé Petrus. Normalement, nous acceptons

158

que l'enthousiasme nous échappe dans des circonstances insignifiantes, qui n'ont pas la moindre conséquence face à la grandeur d'une existence. Nous perdons l'enthousiasme à cause de nos petites et nécessaires défaites au cours du Bon Combat. Et comme nous ignorons que l'enthousiasme est une force supérieure, tournée vers la victoire finale, nous le laissons filer entre nos doigts, sans remarquer que nous laissons échapper aussi le sens véritable de notre vie. Nous rendons le monde coupable de notre ennui, de notre défaite, et nous oublions que c'est nous qui avons laissé échapper cette force captivante qui justifie tout, la manifestation d'Agapè sous la forme de l'enthousiasme. »

Le cimetière qui se trouvait près du ruisseau m'est revenu en mémoire. Ce portail étrange, anormalement grand, était une représentation parfaite de la perte du sens. Derrière cette porte, rien que les morts.

Comme s'il devinait ma pensée, Petrus a repris :

« Il y a quelques jours, tu as dû être surpris de me voir perdre mon sang-froid avec un pauvre garçon qui avait renversé un peu de café sur un bermuda déjà sali par la poussière de la route. En réalité, toute ma nervosité venait du fait que, dans les yeux de ce gamin, j'ai vu l'enthousiasme s'écouler, comme s'écoule le sang par des poignets coupés. J'ai vu ce garçon, si fort et si plein de vie, mourir petit à petit, parce qu'en lui, à chaque instant, s'éteignait un peu Agapè. J'ai appris à vivre avec ces choses-là, mais ce garçon, par son allure et tout ce que j'ai pressenti qu'il pouvait apporter de bon à l'humanité, m'a choqué et attristé. Je suis certain que mon agressivité a blessé son amour-propre et contenu, pour un temps au moins, la mort d'Agapè.

« De même, quand tu as transmué l'esprit dans le chien de cette femme, tu as ressenti Agapè à l'état pur. Ton geste était noble et j'ai été content de me trouver ici et d'être ton guide. C'est pourquoi je vais participer, pour la première fois, à un exercice avec toi. »

Et Petrus m'a enseigné le rituel d'Agapè, L'EXERCICE DU GLOBE BLEU.

« Je vais t'aider à réveiller l'enthousiasme, à créer la force qui s'étendra comme une boule bleue autour de la planète, a-t-il dit. Afin de montrer que je te respecte pour ta quête, et pour ce que tu es. »

Jusqu'à présent, Petrus n'avait jamais émis une quelconque opinion, ni en bien ni en mal, sur ma manière de réaliser les exercices. Il m'avait aidé à interpréter le premier contact avec le Messager, il

LE RITUEL DU GLOBE BLEU

Assieds-toi confortablement et détends-toi. Essaie de ne penser à rien.

Sens comme il est bon d'aimer la vie. Laisse ton cœur libre, ami, au-dessus et au-delà de la mesquinerie des problèmes. Entonne une chanson d'enfance à voix basse. Imagine ton cœur qui grandit, emplit ta chambre puis ta maison d'une lumière bleue, intense, brillante.

Quand tu arrives à ce point, ressens la présence amicale des saints en qui tu avais foi lorsque tu étais enfant. Assure-toi qu'ils sont là, qu'ils affluent de toutes parts, souriants, et t'apportent la foi et la confiance en la vie. Représente-toi les saints qui approchent, placent les mains sur ta tête, et désirent pour toi amour, paix et communion avec le monde. La communion des saints.

Lorsque cette impression est intense, sens comme la lumière bleue est un flux qui entre en toi et en sort, telle une rivière brillante, en mouvement. Cette lumière se répand dans ta maison, puis dans ton quartier, ta ville, ton pays, et enveloppe le monde entier dans un immense Globe bleu. Elle est la manifestation de l'Amour supérieur, qui est au-delà des batailles du quotidien, mais qui te renforce et te donne vigueur, énergie et paix.

Conserve le plus longtemps possible cette lumière qui irradie de par le monde. Ton cœur est ouvert, répandant l'amour. Cette phase de l'exercice doit durer au moins cinq minutes.

Peu à peu, sors de la transe et reviens à la réalité. Les saints resteront tout près de toi. La lumière bleue sera toujours présente.

Ce rituel peut et doit être réalisé avec plusieurs personnes. Dans ce cas, les participants doivent se tenir par la main.

m'avait fait sortir de la transe dans l'exercice de la Semence, mais à aucun moment il ne s'était intéressé aux résultats auxquels j'étais parvenu. Plus d'une fois, je lui avais demandé pourquoi il ne voulait pas connaître mes sensations, et il m'avait répondu que sa seule obligation, en tant que guide, était de me montrer le Chemin et les Pratiques de RAM. Il m'appartenait de tirer profit des résultats ou de ne pas en tenir compte.

Lorsque Petrus a déclaré qu'il allait prendre part à l'exercice avec moi, je me suis soudain senti indigne de ses éloges : il connaissait mes failles, et plusieurs fois il avait douté de sa capacité à me conduire sur le Chemin. J'ai voulu le lui dire mais il m'a interrompu avant que j'ouvre la bouche.

« Ne sois pas cruel envers toi-même, ou alors tu n'as pas appris la leçon que je t'ai enseignée. Sois gentil. Accepte un éloge que tu mérites. »

Mes yeux se sont emplis de larmes. Petrus m'a pris la main et nous sommes sortis. La nuit était anormalement sombre. Je me suis assis près de lui et nous avons commencé à chanter. La musique jaillissait de moi et il m'accompagnait sans effort. J'ai commencé à frapper doucement des mains, tandis que mon corps se balançait d'avant en arrière. L'intensité des battements a augmenté ; la musique coulait librement de moi, cantique à la louange du ciel obscur, de la plaine désertique, des rochers inanimés. Bientôt j'ai vu les saints auxquels je croyais enfant, et que la vie avait éloignés de moi, parce que moi aussi j'avais tué une grande parcelle d'Agapè. Mais maintenant l'Amour qui dévore revenait généreusement, et les saints souriaient depuis les cieux, avec le même visage et la même intensité que lorsque je les voyais enfant.

J'ai ouvert les bras pour qu'Agapè s'écoulât, et un courant mystérieux de brillante lumière bleue entrait en moi et en sortait, lavant mon âme et pardonnant mes péchés. La lumière s'est répandue d'abord dans le paysage, puis elle a empli le monde, et j'ai pleuré. Je pleurais parce que je revivais l'enthousiasme, j'étais un enfant devant la vie et rien, à ce moment, n'aurait pu me causer le moindre mal. J'ai senti une présence s'approcher de nous et s'asseoir à ma droite ; j'ai imaginé que c'était mon Messager, que lui seul pouvait distinguer cette lumière si forte qui sortait de moi et y entrait et se répandait de par le monde.

L'intensité de la lumière a augmenté et j'ai deviné qu'elle enveloppait le monde entier, pénétrait par toutes les portes, par chaque ruelle, et atteignait une fraction de seconde au moins tous les êtres vivants.

J'ai senti que l'on prenait mes mains ouvertes et tendues vers le ciel. À ce moment, le flux de lumière bleue est devenu si puissant que j'ai cru qu'il allait disparaître. Mais j'ai réussi à le garder encore quelques minutes, jusqu'à la fin de ma chanson.

Alors je me suis détendu, épuisé, mais libre et heureux de la vie et de ce que je venais d'éprouver. Les mains qui tenaient les miennes se sont écartées. J'ai compris que l'une d'elles était celle de Petrus, et j'ai su au fond de mon cœur à qui appartenait l'autre.

J'ai rouvert les yeux : à mon côté se tenait le moine Alfonso. Il a souri et m'a dit : « *Buenas noches.* » J'ai souri également, j'ai saisi de nouveau sa main et l'ai serrée fort contre ma poitrine. Il ne m'a pas laissé faire et l'a retirée délicatement.

Aucun de nous trois n'a rien dit. Puis Alfonso s'est levé et il est reparti vers la plaine rocailleuse. Je l'ai suivi des yeux jusqu'à ce qu'il ait disparu dans l'obscurité.

Peu après, Petrus a rompu le silence. Il n'a fait aucune allusion à Alfonso.

« Fais cet exercice chaque fois que tu pourras. Petit à petit Agapè habitera de nouveau en toi. Répète-le avant d'entreprendre un projet, aux premiers jours d'un voyage, ou quand tu sentiras que quelque chose t'a beaucoup ému. Si possible, fais-le avec quelqu'un que tu aimes. C'est un exercice qu'il faut partager. »

C'était de nouveau le vieux Petrus technicien, instructeur et guide, dont je savais si peu de choses. L'émotion qu'il avait manifestée à l'intérieur de la cabane avait disparu. Pourtant, lorsqu'il avait pressé ma main au cours de l'exercice, j'avais senti la grandeur de son âme.

Nous sommes retournés vers la chapelle blanche où se trouvaient nos affaires.

« Son occupant ne reviendra pas aujourd'hui, je pense que nous pouvons dormir ici », a annoncé Petrus en s'allongeant.

J'ai déroulé mon sac de couchage, bu une gorgée de vin, et je me suis couché aussi. J'étais épuisé de l'Amour qui dévore. Mais c'était une fatigue paisible et, avant de fermer les yeux, je me suis souvenu du moine barbu, maigre, qui m'avait souhaité bonsoir et qui s'était assis à mon côté. Quelque part là-dehors, cet homme était consumé par la flamme divine. Peut-être était-ce pour cela que cette nuit était si sombre : il avait concentré en lui toute la lumière du monde.

La Mort

« Vous êtes des pèlerins ? » a demandé la vieille dame qui nous servait le petit déjeuner. Nous étions à Azofra, un hameau constitué de petites maisons dont les façades étaient ornées de boucliers du Moyen Âge, regroupées autour d'une fontaine où, quelques minutes auparavant, nous avions rempli nos gourdes.

J'ai répondu affirmativement et, dans les yeux de la femme, nous avons lu le respect et l'orgueil.

« Quand j'étais petite, je me rendais en pèlerinage à Compostelle au moins une fois par an. Après la guerre et Franco, je ne sais ce qui s'est passé, mais il semble que le pèlerinage se soit arrêté. On devrait faire une route. De nos jours, les gens n'aiment se déplacer qu'en voiture. »

Petrus est resté silencieux. Il s'était réveillé de mauvaise humeur. J'étais d'accord avec la femme et je me suis mis à imaginer une route neuve et asphaltée franchissant montagnes et vallées, des voitures avec des coquilles peintes sur le capot, et des boutiques de souvenirs à la porte des couvents. Je venais de prendre mon café au lait et mon pain à l'huile d'olive. En consultant le guide d'Aymeri Picaud, j'ai calculé que, dans l'après-midi, nous devrions arriver à Santo Domingo de la Calzada, et je projetais de dormir au *Parador nacional* [1]. Je dépensais beaucoup moins que je ne l'avais prévu, en dépit de nos trois repas quotidiens. Il était temps de commettre une extravagance et d'offrir à mon corps le même traitement que je donnais à mon estomac.

Je m'étais réveillé étrangement pressé d'arriver à Santo Domingo – une sensation que, deux jours auparavant, tandis que nous cheminions vers la chapelle, j'étais convaincu de ne pas retrouver. Petrus aussi était plus mélancolique, plus silencieux que d'habitude, et je me demandais si c'était à cause de la rencontre avec Alfonso. J'ai eu grande envie d'invoquer Astrain. Mais je ne l'avais jamais invoqué le matin, et je ne savais pas si cela avait des chances de réussir. J'ai renoncé.

Nous avons terminé notre petit déjeuner et repris notre marche. Nous avons dépassé une maison médiévale ornée d'un blason, les ruines

---

1. Les *Paradores nacionales* sont d'anciens châteaux ou des monuments historiques, que le gouvernement espagnol a transformés en hôtels de première catégorie.

d'une ancienne auberge de pèlerins et un parc situé aux abords du village. Alors que je m'engageais de nouveau à travers champs, j'ai senti une forte présence sur ma gauche. Petrus m'a retenu.

« Rien ne sert de courir. Arrête-toi et fais front. »

J'ai pensé me séparer de mon guide et continuer seul. J'éprouvais une sensation désagréable, une sorte de spasme à l'estomac. Un instant, j'ai voulu croire que c'était le pain à l'huile, mais j'avais déjà ressenti cela, et je ne pouvais pas me tromper. Tension. Tension et peur.

« Regarde derrière toi, s'écria Petrus sur un ton d'urgence. Regarde avant qu'il ne soit trop tard ! »

Je me suis retourné brusquement. Sur ma gauche se trouvait une petite maison abandonnée ; la végétation qui l'envahissait était brûlée par le soleil. Une oliveraie lançait vers le ciel ses branches tordues. Et, entre l'oliveraie et la maison, me regardant fixement, un chien. Un chien noir, le même que j'avais chassé de la maison de la femme quelques jours auparavant.

J'ai oublié la présence de Petrus et j'ai regardé sans sourciller l'animal droit dans les yeux. Quelque chose en moi – peut-être la voix d'Astrain, ou de mon ange gardien – me disait que, si je détournais mon regard, il m'attaquerait. Nous sommes restés ainsi d'interminables minutes. Après avoir éprouvé toute la grandeur de l'Amour qui dévore, je me retrouvais devant les menaces quotidiennes et constantes de l'existence. Je me suis demandé pourquoi l'animal m'avait suivi aussi loin et ce qu'il voulait finalement parce que, pèlerin en quête d'une épée, je n'avais ni l'envie ni la patience de rencontrer en chemin des problèmes, que ce soit avec des gens ou des animaux. J'ai tenté de faire passer ce message dans mon regard – me souvenant des moines qui communiquaient par la vue -- mais le chien ne bougeait pas. Il continuait à me fixer, sans aucune émotion, prêt à m'attaquer si je me détournais ou si je manifestais de la peur.

J'ai soudain compris que la peur avait disparu. J'avais l'estomac noué et envie de vomir à cause de la tension, mais je n'avais pas peur. Simplement, je ne devais pas détourner les yeux, même lorsque j'entrevis une silhouette qui s'approchait, par un petit chemin sur ma droite.

Elle s'est arrêtée quelques instants, puis elle s'est dirigée droit sur nous. Elle a croisé exactement la ligne de nos regards et prononcé quelques mots que je n'ai pas réussi à comprendre. C'était une voix féminine. Sa présence était bonne, amicale et positive.

Dans la fraction de seconde où la silhouette s'est placée entre mes yeux et ceux du chien, mon estomac s'est détendu. J'avais une amie, qui était là pour m'aider dans cette lutte absurde et inutile. Lorsque la silhouette eut disparu, le chien a baissé les yeux. D'un bond, il s'est élancé derrière la maison abandonnée et je l'ai perdu de vue.

À cet instant seulement, la peur a fait battre mon cœur si fort que j'en suis resté étourdi, et j'ai cru que j'allais m'évanouir. Tandis que tout tournait, j'ai scruté la route où Petrus et moi étions passés quelques minutes auparavant, cherchant la silhouette qui m'avait donné des forces pour mettre le chien en déroute.

C'était une religieuse. Elle nous tournait le dos et marchait vers Azofra. Je ne pouvais distinguer son visage, mais je me suis souvenu de sa voix et j'ai estimé qu'elle devait avoir, au plus, une vingtaine d'années. J'ai regardé le chemin par où elle était arrivée : c'était un petit sentier qui ne menait nulle part.

« C'est elle... c'est elle qui m'a aidé », ai-je murmuré, cependant que l'étourdissement augmentait.

« Ne crée pas de nouvelles fantaisies dans un monde déjà si extraordinaire, a dit Petrus, me retenant par le bras. Elle est venue d'un couvent qui se trouve à Cañas, à quelque cinq kilomètres d'ici. Il est évident que tu ne peux pas le voir. »

Mon cœur continuait de battre la chamade,

j'étais convaincu que j'allais me trouver mal. Trop terrifié pour parler ou demander des explications, je me suis assis par terre, et Petrus m'a arrosé d'un peu d'eau la tête et la nuque. Je me suis souvenu qu'il avait agi de même quand nous étions sortis de la maison de la femme – mais ce jour-là je pleurais et je me sentais bien. Maintenant, la sensation était exactement inverse.

Petrus m'a laissé me reposer assez longtemps. L'eau m'a ranimé et la nausée a disparu peu à peu. Puis, Petrus a suggéré que nous reprenions la route et j'ai acquiescé. Nous avons marché environ un quart d'heure, mais l'épuisement est revenu. Nous nous sommes assis au pied d'un *rollo*, colonne médiévale surmontée d'une croix qui marquait certaines parties de la route de saint Jacques.

« Ta peur t'a fait beaucoup plus de mal que le chien, » a remarqué Petrus pendant que je me reposais.

J'ai voulu connaître le pourquoi de cette confrontation absurde.

« Dans la vie et sur le chemin de Saint-Jacques, certains événements se produisent indépendamment de notre volonté. Lors de notre première rencontre, je t'ai dit que j'avais lu dans le regard du gitan le nom du démon qu'il te faudrait affronter. J'ai été très surpris d'apprendre que ce

172

démon était un chien, mais je ne t'ai rien dit alors. C'est seulement quand nous sommes arrivés chez la femme – et que tu as manifesté pour la première fois l'Amour qui dévore – que j'ai vu ton ennemi.

« Lorsque tu as éloigné le chien de cette dame, tu ne lui as trouvé aucune place. Rien ne se perd, tout se transforme, n'est-ce pas ? Tu n'as pas, comme le fit Jésus, lâché les esprits dans un troupeau de porcs qui s'est jeté dans le précipice. Tu as simplement éloigné le chien. Maintenant, cette force erre sans but derrière toi. Avant de trouver ton épée, il te faudra décider si tu désires être l'esclave ou le maître de cette force. »

Ma fatigue s'est atténuée. J'ai respiré à fond, sentant la pierre froide de la colonne dans mon dos. Petrus m'a donné encore un peu d'eau et il a poursuivi :

« Les phénomènes d'obsession se produisent lorsque les gens perdent la maîtrise des forces de la terre. La malédiction du gitan a transmis à cette femme la peur, et la peur a ouvert une brèche par où a pénétré le Messager du mort. Ce n'est pas un cas ordinaire, mais ce n'est pas non plus un cas rare. Cela dépend beaucoup de la façon dont tu réagis aux menaces des autres. »

C'est moi, cette fois, qui me suis rappelé un passage de la Bible. Il est écrit dans le livre de Job : *Tout ce dont j'avais le plus peur m'est arrivé.*

« Une menace ne peut rien provoquer si elle n'est pas acceptée. En menant le Bon Combat, n'oublie jamais cela. De même, tu ne dois pas oublier que l'attaque ou la fuite font partie de la lutte. Ce qui n'en fait pas partie, c'est de rester paralysé par la peur. »

Je n'avais pas eu peur sur le moment. J'étais surpris moi-même et j'ai commenté le sujet avec Petrus.

« J'ai compris cela, a-t-il répliqué. Dans le cas contraire, le chien t'aurait attaqué. À coup sûr, il aurait gagné le combat, parce que lui non plus n'avait pas peur. Le plus drôle, cependant, a été l'arrivée de cette religieuse. En entrevoyant une présence positive, ta fertile imagination s'est dit que quelqu'un venait à ton aide. Et cette confiance t'a sauvé. Même fondée sur un fait absolument faux. »

Petrus avait raison. Il a ri un bon coup et moi avec lui. Nous nous sommes remis en marche. Je me sentais léger et bien disposé.

« Une chose, toutefois, que tu dois savoir, a déclaré Petrus, tandis que nous marchions. Le duel avec le chien ne peut se terminer que par la victoire de l'un ou de l'autre. Il réapparaîtra. La prochaine fois, essaie de mettre fin à la lutte. Sinon, son fantôme continuera de t'inquiéter jusqu'à la fin de tes jours. »

Après la rencontre du gitan, Petrus m'avait révélé qu'il connaissait le nom de ce démon. Je lui ai demandé qui il était.

« Légion, a-t-il répondu. Parce qu'ils sont nombreux. »

Nous marchions sur des terres que les paysans préparaient pour les semailles. Çà et là, des laboureurs conduisaient des citernes rudimentaires, menant une lutte séculaire contre l'aridité du sol. Sur les bords du chemin de Saint-Jacques, des pierres empilées formaient des murs interminables qui se croisaient et se confondaient aux dessins de la campagne. Depuis des siècles ces terres ont été travaillées, ai-je songé, et pourtant il surgit toujours une pierre à retirer, une pierre qui brise la lame de l'araire, qui estropie le cheval, qui marque de cals la main du laboureur. Une lutte qui recommençait chaque année et ne se terminait jamais.

Petrus était plus tranquille que d'habitude, et je me suis rappelé que, depuis le matin, il n'avait presque rien dit. Après la conversation près de la colonne médiévale, il s'était retranché dans le mutisme et ne répondait pas à la plupart de mes questions. Je voulais en savoir plus sur cette histoire de « nombreux démons », mais il n'était pas disposé à aborder le sujet, et j'ai décidé d'attendre une occasion plus favorable.

Nous avons gravi une petite éminence et, d'en haut, j'ai aperçu le clocher principal de l'église de Santo Domingo de la Calzada. Cette vision m'a encouragé ; je me suis mis à rêver du confort et de la magie du *Parador nacional*. D'après mes lectures, le bâtiment avait été édifié par saint Dominique en personne pour accueillir les pèlerins. Saint François d'Assise, en se rendant à Compostelle, y avait passé une nuit. Tout cela me remplissait d'excitation.

Il devait être presque sept heures du soir quand Petrus a proposé de faire halte. Je me suis souvenu de Roncevaux, de cette lente marche au moment où j'avais si froid et tant besoin d'un verre de vin, et j'ai redouté qu'il ne fût en train de préparer un coup semblable.

« Jamais un Messager ne t'aidera à en vaincre un autre. Ils ne sont ni bons ni mauvais, je te l'ai dit, mais ils sont liés par un sentiment de loyauté. Ne te fie pas à Astrain pour mettre le chien en déroute. »

Cette fois, c'était moi qui n'étais pas disposé à parler de Messagers. Je voulais arriver rapidement à Santo Domingo.

« Les Messagers des morts peuvent occuper le corps de quelqu'un que domine la peur. C'est pourquoi, dans le cas du chien, ils sont nombreux. Ils ont été attirés par la peur de la femme. Non seulement celui du gitan assassiné, mais les divers Messagers qui erraient, cherchant un moyen d'entrer en contact avec les forces de la terre. »

Maintenant seulement il répondait à ma question. Mais quelque chose dans sa façon de parler semblait artificiel, comme si ce n'était pas vraiment le sujet dont il voulait discuter avec moi. Mon instinct m'en avertit immédiatement.

« Que veux-tu, au juste, Petrus ? » ai-je demandé, un peu irrité.

Mon guide n'a pas répondu. Il est sorti du chemin et s'est dirigé vers un vieil arbre, presque nu, qui se trouvait à quelques dizaines de mètres de là dans un champ, le seul arbre visible de tout l'horizon. Comme il ne m'avait pas fait signe de le suivre, je suis resté planté sur le chemin. Et j'ai assisté à une scène étrange : Petrus tournait autour de l'arbre et parlait à voix haute, les yeux fixés sur le sol. À la fin, il m'a fait signe d'approcher :

« Assieds-toi là. » Il y avait dans sa voix un ton nouveau, et je ne pouvais savoir si c'était de la tendresse ou de la peine. « Tu restes ici. Demain je te retrouve à Santo Domingo de la Calzada. »

Avant que j'aie pu dire un mot, Petrus a poursuivi : « Un de ces jours, et je te garantis que ce n'est pas aujourd'hui, tu devras affronter ton plus sérieux ennemi sur le chemin de Saint-Jacques : le chien. Quand ce jour sera venu, sois tranquille, je serai près de toi et je te donnerai la force nécessaire pour le combat. Mais aujourd'hui tu vas affronter un autre genre d'ennemi, un ennemi fictif qui peut te détruire ou bien être ton meilleur compagnon : la Mort.

« L'homme est le seul être, dans la nature, qui ait conscience de sa mort prochaine. Pour cette raison, et pour cette raison seulement, j'ai un profond respect pour l'espèce humaine, et je crois que son avenir sera bien meilleur que ne l'est son présent. Même en sachant que ses jours sont comptés et que tout finira quand il s'y attendra le moins, l'homme fait de la vie une lutte digne d'un être éternel. Ce que les gens appellent vanité – laisser des œuvres, des enfants, faire en sorte que son nom ne soit pas oublié –, je considère cela comme l'expression suprême de la dignité humaine.

« Il se trouve que, créature fragile, il tente toujours de se cacher la certitude suprême de sa mort. Il ne voit pas que c'est elle qui le motive pour réaliser les meilleures choses de sa vie. Il a peur du passage dans l'ombre, de la grande terreur de l'inconnu, et le seul moyen qu'il ait de vaincre cette peur, c'est d'oublier que ses jours sont comptés. Il ne comprend pas que, conscient de la mort, il serait capable d'avoir plus d'audace, d'aller beaucoup plus loin dans ses conquêtes quotidiennes, puisqu'il n'a rien à perdre, dès l'instant où la mort est inévitable. »

L'idée de passer la nuit à Santo Domingo me semblait déjà un lointain souvenir. Je suivais avec un intérêt croissant les propos de Petrus. À l'horizon, droit devant nous, le soleil commençait à mourir. Peut-être entendait-il aussi ces paroles.

« La mort est notre grande compagne, parce que c'est elle qui donne sens à nos vies. Mais pour contempler le véritable visage de notre mort, nous devons d'abord connaître tous les désirs et toutes les terreurs que la simple évocation de son nom est capable de réveiller dans n'importe quel être vivant. »

Petrus s'est assis sous l'arbre et m'a invité à en faire autant. Il a expliqué que, un moment auparavant, il avait tourné autour du tronc parce qu'il se rappelait ce qui s'était passé lorsqu'il était un pèlerin en route pour Saint-Jacques. Ensuite, il a sorti de son sac deux sandwiches qu'il avait achetés à l'heure du déjeuner.

« Là où tu es, il n'y a aucun danger, a-t-il dit en me les tendant. Il n'y a pas de serpents venimeux, et le chien ne reviendra t'attaquer que lorsqu'il aura oublié son échec de ce matin. Il n'y a pas non plus de voyous ni de criminels dans les environs. Tu es dans un endroit absolument sûr, à une seule exception près : le danger de ta peur. »

Il m'a expliqué que, deux jours plus tôt, j'avais éprouvé une sensation aussi intense et aussi violente que la mort : l'Amour qui dévore. À aucun moment je n'avais chancelé ou eu peur, parce que je n'avais pas de préjugés sur l'amour universel. Mais nous avons tous des préjugés concernant la mort, sans comprendre qu'elle n'est qu'une autre manifestation d'Agapè. J'ai répondu à Petrus que, après toutes ces années d'apprentissage, la peur de la mort m'avait pratiquement quitté. En réalité, j'avais davantage peur de la manière de mourir que de la mort proprement dite.

« Alors, ce soir, fais l'expérience de la manière de mourir la plus effrayante. »

Et Petrus m'a enseigné L'EXERCICE DE L'ENTERRÉ VIVANT.

« Tu ne dois le faire qu'une fois », a-t-il dit, tandis que je me rappelais un exercice de théâtre très semblable. « Il faut que tu réveilles toute la vérité, toute la peur nécessaire pour que l'exercice puisse surgir du fond de ton âme, et faire tomber le masque d'horreur qui recouvre le visage aimable de ta mort. »

Petrus s'est levé, et j'ai vu sa silhouette se détacher sur le ciel incendié par le coucher de soleil.

180

L'EXERCICE DE L'ENTERRÉ VIVANT

Assieds-toi sur le sol et détends-toi. Croise les mains sur la poitrine, dans la posture du mort.

Imagine tous les détails de ton enterrement, s'il avait lieu demain. La seule différence, c'est que tu es enterré vivant. À mesure que l'histoire se déroule — chapelle, marche jusqu'au tombeau, descente du cercueil dans la sépulture —, tends tous tes muscles, dans un effort désespéré pour bouger. Mais ne bouge pas. Ne bouge pas jusqu'au moment où, n'en pouvant plus, en un mouvement qui emporte tout ton corps, tu écartes les planches du cercueil, tu respires à fond et tu sois libre. Ce mouvement aura plus d'effet s'il est accompagné d'un cri, un cri émanant des profondeurs de ton corps.

Comme je restais assis, on aurait dit une figure imposante, gigantesque.

« Petrus, j'ai encore une question.

– Laquelle ?

– Ce matin, tu étais muet et étrange. Tu as deviné avant moi l'arrivée du chien. Comment cela a-t-il été possible ?

– Quand nous avons éprouvé ensemble l'Amour qui dévore, nous avons partagé l'absolu. L'absolu montre à tous les hommes ce qu'ils sont réellement, un immense canevas de causes et d'effets, chaque petit geste de l'un se reflétant dans la vie de l'autre. Ce matin, cette part d'absolu était encore très vive dans mon âme. Je te comprenais, non seulement toi, mais tout ce qui existe dans le monde, sans limitation dans l'espace ou le temps. Maintenant, l'effet s'est affaibli, et il ne reviendra que la prochaine fois que je ferai l'exercice de l'Amour qui dévore. »

Je me suis rappelé la mauvaise humeur de Petrus ce matin. S'il disait vrai, le monde traversait une passe très difficile.

« Je t'attendrai au *Parador,* a-t-il dit en s'éloignant. Je laisse ton nom à la réception. »

Je l'ai suivi des yeux tant que j'ai pu. Dans les champs à ma gauche, les laboureurs avaient terminé leur travail et rentraient chez eux. J'ai décidé de réaliser l'exercice dès que la nuit serait tombée.

J'étais calme. C'était la première fois que je restais complètement seul depuis que j'avais entrepris le parcours de l'étrange chemin de Saint-Jacques. Je me suis levé et j'ai fait quelques pas alentour, mais la nuit tombait rapidement et j'ai décidé de retourner vers l'arbre, de peur de me perdre. Avant que l'obscurité ne fût totale, j'ai marqué mentalement la distance de l'arbre au chemin. Comme il n'y avait aucune lumière qui pût me gêner, je me sentais parfaitement capable de voir le sentier et d'arriver jusqu'à Santo Domingo grâce au seul éclat du mince croissant de lune qui faisait son apparition dans le ciel.

Jusque-là, je n'avais pas peur, et je me disais qu'il faudrait beaucoup d'imagination pour réveiller en moi les craintes d'une mort horrible. Mais peu importe le nombre d'années que l'on a ; quand la nuit tombe, elle apporte avec elle des peurs cachées dans notre âme depuis l'enfance. Plus il faisait noir, plus je me sentais mal à l'aise.

J'étais là, tout seul dans la campagne, et, si je criais, personne ne m'entendrait. Je me suis rappelé que ce matin j'avais failli avoir une attaque. Jamais, de toute ma vie, je n'avais senti mon cœur s'emballer ainsi.

Et si j'étais mort? Logiquement, tout serait fini. Toutefois, sur le chemin de la Tradition, j'avais déjà conversé avec de nombreux esprits. J'avais l'absolue certitude de la vie après la mort, mais jamais je ne m'étais demandé comment s'opérait cette transition. Ce doit être terrible de passer d'une dimension à l'autre, aussi bien préparé soit-on. Si j'étais mort ce matin, par exemple, le chemin de Saint-Jacques, mes années d'études, les regrets de ma famille, l'argent caché dans ma ceinture n'auraient plus le moindre sens. Je me suis souvenu d'une plante que j'avais sur mon bureau, au Brésil. La plante existerait toujours, de même que l'omnibus, le marchand de légumes du coin qui faisait toujours payer plus cher, la téléphoniste qui me donnait en douce des numéros de téléphone sur liste rouge. Toutes ces petites choses, qui auraient pu disparaître si j'avais eu un infarctus ce matin, prenaient soudain une énorme importance pour moi. C'étaient elles, et non les étoiles ou la sagesse, qui m'assuraient que j'étais en vie.

La nuit était noire maintenant et, à l'horizon, je pouvais distinguer la faible lueur de la ville. Je me suis allongé sur le sol et j'ai regardé les branches d'arbre au-dessus de ma tête. Bientôt j'ai entendu des bruits étranges, de toutes sortes. C'étaient les animaux de la nuit qui sortaient chasser. Petrus

184

ne pouvait pas tout savoir puisqu'il était, comme moi, un simple humain. Quelle garantie avais-je qu'il n'y avait vraiment pas de serpents venimeux? Et les loups, les loups éternels d'Europe, peut-être avaient-ils décidé, sentant mon odeur, de passer cette nuit par ici? Un bruit très violent, semblable à celui d'une branche qui se brise, m'a fait sursauter et mon cœur s'est remis à battre la chamade.

J'étais très tendu. Le mieux était de réaliser l'exercice et de me rendre à l'hôtel. Je me suis apaisé peu à peu et j'ai croisé les mains sur ma poitrine, dans la posture du mort. Quelque chose tout près a bougé. Je me suis relevé d'un bond.

Ce n'était rien. La nuit avait tout envahi, et elle avait apporté avec elle le cortège des terreurs humaines. Je me suis allongé de nouveau, décidé cette fois à faire de toute peur un stimulant pour l'exercice. J'ai constaté que, malgré la baisse importante de la température, j'étais en sueur.

J'ai imaginé le cercueil fermé, et les vis en place. J'étais immobile, mais vivant, et je voulais dire à ma famille, qui voyait tout, que je l'aimais, mais aucun son ne sortait de ma bouche. Mon père, ma mère en pleurs, les amis autour de moi, et j'étais seul! Tous ces êtres chers se tenaient là, et personne n'était capable de constater que j'étais vivant, que je n'avais pas encore entrepris tout ce que je désirais réaliser dans ce monde. Je tentais désespérément d'ouvrir les yeux, de faire un signe, de donner un coup dans le couvercle du cercueil. Mais dans mon corps rien ne bougeait.

J'ai senti que le cercueil se balançait. On me transportait vers le tombeau. Je pouvais entendre le bruit des anneaux frôlant les bretelles de fer, les pas des gens dans le cortège, des voix qui discutaient. Quelqu'un a dit qu'il y avait un dîner plus tard, un autre a commenté que j'étais mort jeune. L'odeur des fleurs autour de ma tête me suffoquait.

Je me suis souvenu que je n'avais pas fait la cour à deux ou trois femmes, par crainte d'être rejeté. Je me suis rappelé aussi certaines occasions où j'avais renoncé à mes désirs, croyant que je pouvais remettre à plus tard leur réalisation. J'ai ressenti un profond chagrin, non seulement parce que j'étais enterré vivant, mais parce que j'avais eu peur de vivre. Qu'est-ce que la peur d'essuyer un refus, de remettre quelque chose à plus tard, si le plus important est de jouir pleinement de la vie ? J'étais prisonnier de mon cercueil et il était trop tard pour retourner en arrière et avoir le courage dont j'aurais dû faire preuve.

J'avais été mon propre Judas, traître à moi-même. J'étais là sans pouvoir bouger un muscle, appelant mentalement au secours alors que les

186

gens au-dehors étaient plongés dans la vie, préoccupés de ce qu'ils allaient faire ce soir, regardant des statues et des édifices que je ne verrais plus jamais. Le sentiment d'une grande injustice m'a envahi, l'injustice d'avoir été enterré, cependant que les autres continuaient de vivre. Il aurait mieux valu une grande catastrophe, et tous ensemble dans le même bateau, en direction du même point noir vers lequel on m'emportait. Au secours! Je suis vivant, je ne suis pas mort, ma tête fonctionne toujours!

On a mis mon cercueil au bord de la sépulture. On va m'enterrer! Ma femme va m'oublier, elle va se remarier et dépenser l'argent que nous nous sommes efforcés d'économiser toutes ces années... mais quelle importance! Je veux être avec elle maintenant, parce que je suis vivant!

J'entends des pleurs, je sens que de mes yeux aussi roulent des larmes. S'ils ouvraient le cercueil à cet instant, ils s'en rendraient compte et ils me sauveraient. Mais le cercueil descend inexorablement. Soudain, tout devient obscur. Jusque-là, une petite lueur filtrait par le bord du cercueil, maintenant le noir est absolu. Les pelles des fossoyeurs cimentent le tombeau, et je suis vivant! Enterré vivant! L'air devient lourd, l'odeur des fleurs insupportable, et j'entends les pas des gens qui s'éloignent. La terreur est totale.

Je ne parviens pas à bouger, et ils sont partis maintenant. Bientôt il fera nuit et personne ne va m'entendre cogner dans la tombe!

Nul n'a entendu les cris émis par ma pensée, je suis seul et l'obscurité, l'air l'étouffant, le parfum des fleurs me rendent fou. Soudain, un bruit. Ce sont les vers, les vers qui s'approchent pour me dévorer vivant. Je tente de toutes mes forces de bouger un membre, mais je reste inerte. Les vers me grimpent sur le corps. Ils sont gras et froids. Ils passent sur mon visage, entrent dans mon pantalon. L'un d'eux pénètre dans mon anus, un autre se sauve par le trou de mon nez. Au secours! Je suis dévoré vivant et personne ne m'entend, personne ne dit rien. Le ver entré par ma narine me descend dans la gorge. Un autre s'introduit dans mon oreille. Il faut que je sorte d'ici! Où est Dieu, qui ne répond pas? Ils ont commencé à me dévorer la gorge et je ne pourrai plus crier! Ils entrent par tous les côtés, par l'oreille, par le coin de la bouche, par le trou du pénis. Je sens ces choses baveuses et grasses à l'intérieur de moi, il faut que je crie, il faut que je me libère! Je suis coincé dans ce tombeau obscur et froid, tout seul, dévoré vivant. L'air me manque, et les vers me mangent! Il faut que je bouge. Il faut que je fasse exploser ce cercueil! Mon Dieu, réunis toutes mes forces, parce qu'il faut que je bouge! JE DOIS SORTIR D'ICI, JE DOIS. JE VAIS BOUGER! JE VAIS BOUGER!

J'AI RÉUSSI!

Les planches du cercueil ont volé en éclats, le tombeau a disparu, et j'ai empli ma poitrine de l'air pur du chemin de Saint-Jacques. Mon corps tremblait de la tête aux pieds, couvert de sueur. J'ai remué un peu et j'ai compris que mes intestins s'étaient vidés. Mais rien de tout cela n'avait d'importance : j'étais en vie.

Le tremblement se prolongeait et je n'ai pas fait le moindre effort pour le contrôler. Une immense sensation de calme intérieur m'a envahi, et j'ai senti une sorte de présence à mon côté. J'ai regardé et j'ai vu le visage de ma mort. Ce n'était pas la mort dont j'avais fait l'expérience quelques minutes auparavant, mais ma véritable mort, amie et conseillère, grâce à laquelle je ne serais plus jamais lâche un seul jour de ma vie. Désormais, elle me soutiendrait mieux que la main et les conseils de Petrus. Elle ne m'autoriserait plus à remettre à plus tard tout ce que je pouvais vivre maintenant. Elle ne me laisserait pas fuir les luttes de l'existence et m'aiderait à mener le Bon Combat. Plus jamais, à aucun moment, je ne me sentirais ridicule de faire le moindre geste. Elle était là, affirmant que, lorsqu'elle me prendrait par la main pour que nous voyagions vers d'autres mondes, je ne devais pas emporter avec moi le plus grand de tous les péchés : le regret. Certain de sa présence, regardant son visage aimable, j'ai eu la certitude que j'allais boire avidement à la source d'eau vive qu'est cette existence.

La nuit n'avait plus ni secrets ni terreurs. C'était une nuit heureuse, une nuit de paix. Quand le tremblement eut disparu, je me suis levé, et je me suis dirigé vers les citernes des travailleurs des champs. J'ai nettoyé mon bermuda et j'en ai mis un de rechange qui se trouvait dans mon sac à dos. Je suis retourné ensuite vers l'arbre et j'ai mangé les deux sandwiches que Petrus m'avait laissés. C'était la nourriture la plus délicieuse au monde, parce que j'étais en vie et que la mort ne m'effrayait plus.

J'ai décidé de dormir à cet endroit. L'obscurité n'avait jamais été aussi tranquille.

Les Vices personnels

Nous nous trouvions dans un champ immense, un champ de blé lisse et monotone, qui s'étendait sur tout l'horizon. L'uniformité du paysage n'était rompue que par une colonne médiévale surmontée d'une croix, qui marquait le chemin des pèlerins. Devant la colonne, Petrus a jeté son sac au sol et il s'est mis à genoux. Il m'a invité à faire de même.

« Nous allons prier. Nous allons prier pour la seule chose qui mette en échec un pèlerin quand il trouve son épée : ses vices personnels. Pour autant qu'il apprenne des Grands Maîtres à diriger la lame, l'une de ses mains sera toujours son pire ennemi. Nous allons prier pour que, si jamais tu trouves ton épée, tu la tiennes toujours de la main qui ne t'offense pas. »

Il était deux heures de l'après-midi. On n'entendait pas un bruit, et Petrus a commencé :

« Pitié, Seigneur, parce que nous sommes des pèlerins sur le chemin de Compostelle, et cela peut être un vice. Dans Ton infinie miséricorde, fais que jamais nous ne retournions la connaissance contre nous-mêmes.

« Pitié pour ceux qui ont pitié d'eux-mêmes et se jugent bons et considèrent que la vie les traite injustement, parce qu'ils ne méritaient pas ce qui leur est arrivé – car ceux-là jamais ne réussiront à mener le Bon Combat. Et pitié pour ceux qui sont cruels envers eux-mêmes, ne voient que le mal dans leurs propres actes et se considèrent coupables des injustices du monde. Parce que ceux-là ne connaissent pas Ta loi qui dit : " Même les cheveux de ta tête sont comptés. "

« Pitié pour ceux qui commandent, et ceux qui accomplissent des heures de travail et se sacrifient en échange d'un dimanche où tout est fermé et où il n'y a nulle part où aller. Mais pitié pour ceux qui sanctifient Ton œuvre, vont au-delà des limites de Ta propre folie et finissent endettés ou cloués sur la croix par leurs propres frères. Parce que ceux-là n'ont pas connu Ta loi qui dit : " Sois prudent comme les serpents et simple comme les colombes. "

« Pitié parce que l'homme peut vaincre le monde et ne jamais engager le Bon Combat envers lui-même. Mais pitié pour ceux qui ont gagné le Bon

Combat et maintenant sont aux carrefours et dans les bars de la vie, parce qu'ils n'ont pas réussi à vaincre le monde. Parce que ceux-là n'ont pas connu Ta loi qui dit : " Celui qui respecte mes paroles doit édifier sa maison dans la pierre. "

« Pitié pour ceux qui ont peur de tenir la plume, le pinceau, l'instrument, l'outil, parce qu'ils pensent que quelqu'un a déjà fait mieux et ne se sentent pas dignes d'entrer dans le séjour prodigieux de l'art. Mais pitié plus encore pour ceux qui ont pris la plume, le pinceau, l'instrument, l'outil et ont transformé l'inspiration en un sentiment mesquin et se croient meilleurs que les autres. Ceux-là n'ont pas connu Ta loi qui dit : " Rien n'est occulté sinon pour être dévoilé, et rien ne se cache sinon pour être révélé. "

« Pitié pour ceux qui mangent et boivent et se rassasient mais sont malheureux et solitaires dans leur abondance. Mais pitié plus encore pour ceux qui jeûnent, censurent, interdisent et se sentent des saints et vont prêcher Ton nom sur les places. Parce que ceux-là ne connaissent pas Ta loi qui dit : " Si je témoigne sur moi-même, mon témoignage n'est pas authentique. "

« Pitié pour ceux qui craignent la mort et méconnaissent les nombreux royaumes qu'ils ont parcourus et les nombreuses morts dont ils sont déjà morts, et sont malheureux parce qu'ils

193

pensent que tout va se terminer un jour. Mais pitié plus encore pour ceux qui ont déjà connu leurs nombreuses morts et aujourd'hui se croient immortels, parce qu'ils ignorent Ta loi qui dit : " Celui qui n'est pas né plusieurs fois ne pourra voir le Royaume de Dieu. "

« Pitié pour ceux qui se laissent réduire en esclavage par le lien de soie de l'amour, se croient maîtres de quelqu'un, éprouvent la jalousie et s'empoisonnent et se torturent parce qu'ils ne parviennent pas à voir que l'amour change comme le vent et comme toutes choses. Mais pitié plus encore pour ceux qui meurent de peur d'aimer et refusent l'amour au nom d'un amour supérieur qu'ils ne connaissent pas parce qu'ils ne connaissent pas Ta loi qui dit : " Celui qui boira de cette eau n'aura plus jamais soif. "

« Pitié pour ceux qui réduisent le cosmos à une explication, Dieu à une potion magique et l'homme à un être aux besoins fondamentaux qu'il faut satisfaire, parce que ceux-là n'entendront jamais la musique des sphères. Mais pitié plus encore pour ceux qui possèdent une foi aveugle et, dans les laboratoires, transforment le mercure en or, et s'entourent de livres qui relatent les secrets du tarot et le pouvoir des pyramides. Parce que ceux-là ne connaissent pas Ta loi qui dit : " Le royaume des cieux appartient aux enfants. "

« Pitié pour ceux qui ne voient personne au-delà d'eux-mêmes, pour qui les autres sont un spectacle vague et lointain quand ils passent dans la rue en limousine et qui, retranchés dans des bureaux climatisés au dernier étage, souffrent en silence de la solitude du pouvoir. Mais pitié pour ceux qui, la main toujours ouverte, sont charitables et veulent vaincre le mal par le seul amour, parce que ceux-là ignorent Ta loi qui dit : " Celui qui n'a pas d'épée, qu'il vende son manteau et en achète une. "

« Pitié, Seigneur, pour nous qui cherchons et osons saisir l'épée que Tu promets, et qui sommes un peuple saint et pécheur, répandu sur la terre. Parce que nous ne nous reconnaissons pas nous-mêmes, souvent nous pensons que nous sommes vêtus et nous sommes nus, nous pensons que nous commettons un crime et en réalité nous sauvons quelqu'un. Ne nous oublie pas dans Ta miséricorde, nous tous qui en même temps tenons l'épée de la main d'un ange et de la main d'un démon. Parce que nous sommes au monde, nous restons au monde et avons besoin de Toi. Nous avons toujours besoin de Ta loi qui dit : " Quand je vous ai envoyés, vous n'aviez ni sac, ni besace, ni sandales, et rien ne vous a manqué. " »

Petrus s'est tu. Le silence s'est prolongé. Il regardait fixement le champ de blé autour de nous.

La Conquête

Nous sommes arrivés un après-midi aux ruines d'un vieux château de l'ordre du Temple. Nous nous sommes assis pour nous reposer. Petrus a fumé sa traditionnelle cigarette et j'ai bu un peu du vin que j'avais gardé du déjeuner. J'ai regardé le paysage alentour : quelques maisons de laboureurs, la tour du château, la campagne avec ses ondulations, la terre labourée, préparée pour l'ensemencement. Soudain, à ma droite, passant près des murailles en ruine, j'ai vu un berger qui revenait des champs avec ses brebis. Le ciel était rouge, et la poussière soulevée par les animaux a donné au paysage l'apparence diffuse d'un songe, d'une vision magique. Le berger a levé la main et fait un signe. Nous lui avons répondu.

Les brebis sont passées devant nous et ont continué leur chemin. Petrus s'est levé. La scène l'avait impressionné.

« Allons-y. Nous devons nous presser, a-t-il dit.

– Pourquoi ?

– Parce que. Finalement, tu ne trouves pas que nous avons passé beaucoup de temps sur le chemin de Saint-Jacques ? »

Mais quelque chose me disait que sa hâte était liée à la scène du berger et de ses brebis.

Deux jours plus tard, nous sommes arrivés au pied des montagnes qui s'élevaient au sud, rompant la monotonie des immenses champs de blé. Malgré quelques éminences naturelles, le terrain était bien signalé par les marques jaunes dont avait parlé le Padre Jordi. Cependant, Petrus, sans me fournir aucune explication, s'est peu à peu éloigné de ces marques, se dirigeant vers le nord. J'ai attiré son attention sur ce fait, et il m'a répondu sèchement qu'il était mon guide et qu'il savait où il me menait.

Au bout d'une demi-heure de marche environ, j'ai entendu comme un bruit de chute d'eau. Autour de nous, il n'y avait que les champs brûlés par le soleil et j'ai cherché d'où cela pouvait provenir. Mais à mesure que nous avancions, le bruit augmentait, jusqu'au moment où il n'y eut plus l'ombre d'un doute sur son origine : une chute d'eau. Mais, phénomène hors du commun, je regardais autour de moi et ne voyais ni montagnes ni chutes.

C'est alors qu'au détour d'une butte je me suis trouvé soudain devant un extravagant ouvrage de la nature : dans une dépression de terrain qui aurait pu contenir un immeuble de cinq étages, une nappe d'eau dévalait en direction du centre de la terre. Sur les bords de l'immense cavité, une végétation luxuriante, radicalement différente, entourait la chute d'eau.

« Nous allons descendre », a annoncé Petrus.

Nous avons amorcé la descente et j'ai pensé à Jules Verne, c'était comme si nous nous dirigions vers le centre de la terre. La pente était abrupte et j'ai dû me retenir à des branches épineuses et à des pierres coupantes pour ne pas tomber. Je suis arrivé au fond de la dépression les bras et les jambes tout écorchés.

« Bel ouvrage de la nature », a commenté Petrus.

J'ai acquiescé. Une oasis au milieu du désert, une végétation dense et des gouttes d'eau formant arc-en-ciel, tout cela était aussi beau vu d'en bas que d'en haut.

« Ici la nature démontre sa force, a-t-il insisté.

– C'est vrai, ai-je renchéri.

– Elle nous permet de démontrer aussi notre force. Nous allons remonter cette chute. Au milieu de l'eau. »

J'ai de nouveau regardé le spectacle. Je ne voyais plus la belle oasis, caprice sophistiqué de la nature. Je me trouvais devant une paroi de plus de quinze mètres de haut, le long de laquelle l'eau tombait à grand fracas. La profondeur du bassin formé par la chute ne dépassait pas la taille d'un homme, tandis que la rivière s'écoulait dans un bruit assourdissant par une ouverture qui devait arriver aux entrailles de la terre. Il n'y avait sur la paroi aucun point où s'accrocher et le bassin n'était pas assez profond pour amortir une chute. La tâche me semblait absolument impossible.

Je me suis souvenu d'une scène qui s'était produite cinq ans auparavant, lors d'un rituel extrêmement dangereux qui comportait, comme celui-ci, une escalade. Le Maître m'avait laissé décider si je voulais continuer ou non. J'étais plus jeune, fasciné par ses pouvoirs et par les prodiges de la Tradition. Je décidai d'aller de l'avant. Il me fallait prouver mon courage et ma bravoure.

Après une heure d'escalade environ, devant le passage le plus difficile de l'ascension, un vent se leva, d'une puissance inattendue, et je dus m'accrocher de toutes mes forces à la petite plate-forme où j'étais appuyé pour ne pas être précipité en bas. Je fermai les yeux, m'attendant au pire, les ongles plantés dans la roche. Quelle ne fut pas ma surprise de constater, l'instant suivant, que quelqu'un m'aidait à conserver une position confortable et sûre. J'ouvris les yeux : le Maître se trouvait à côté de moi. Il dessina dans l'air certaines figures, et le vent cessa subitement. Avec une étrange agilité, souvent proche de purs exercices de lévitation, il redescendit et m'invita à faire de même.

Je parvins en bas les jambes tremblantes et lui demandai indigné pourquoi il avait fait cesser le vent avant qu'il ne m'atteignît.

« Parce que c'est moi qui ai fait souffler le vent.

– Pour me tuer ?

– Pour te sauver. Tu serais incapable d'escalader cette montagne. Lorsque je t'ai demandé si tu voulais monter, je n'étais pas en train de tester ton courage. Je testais ta sagesse.

« Tu as inventé un ordre que je ne t'ai pas donné, expliqua le Maître. Si tu savais léviter, il n'y aurait pas eu de problème. Mais tu t'es proposé d'être courageux, alors qu'il suffisait d'être intelligent. »

Ce jour-là, il me parla de mages devenus fous dans le processus d'illumination, qui ne pouvaient plus distinguer leurs propres pouvoirs de ceux de leurs disciples. Au cours de ma vie, j'ai connu de grands hommes sur le chemin de la Tradition. J'ai même rencontré trois Maîtres – y compris le mien – capables de porter la maîtrise physique à des niveaux bien supérieurs à ce qu'un homme peut rêver. J'ai vu des miracles, des présages qui se sont vérifiés, des réincarnations. Mon Maître m'a parlé de la guerre des Malouines deux mois avant que les Argentins n'envahissent les îles. Il l'a décrite en détail et m'a expliqué les raisons astrales de ce conflit.

De ce jour, j'ai découvert en outre que certains mages, comme a dit le Maître, étaient « devenus fous dans le processus d'illumination ». Ces gens étaient presque en tout semblables aux Maîtres, jusque dans leurs pouvoirs : j'ai vu l'un d'eux, grâce à une extrême concentration, faire germer une graine en quinze minutes. Mais cet homme, et quelques autres, avaient mené de nombreux disciples à la folie et au désespoir. Certains avaient fini en hôpital psychiatrique et une histoire de suicide était confirmée. Ces hommes se trouvaient sur la fameuse « liste noire » de la Tradition, mais il était impossible de conserver un contrôle sur eux. Aujourd'hui encore, nombre d'entre eux poursuivent leurs activités.

Toute cette histoire m'a traversé l'esprit en une fraction de seconde, devant cette chute impossible à escalader. J'ai songé à tout ce temps pendant lequel Petrus et moi avions cheminé ensemble, je me suis rappelé le chien qui m'avait attaqué et ne lui avait causé aucun mal, son manque de contrôle au restaurant avec le serveur, son ivresse pendant le mariage.

« Petrus, il n'est pas question que je gravisse cette paroi. Pour une seule raison : c'est impossible. »

Il ne m'a rien répondu. Il s'est assis dans l'herbe et j'en ai fait autant. Nous sommes restés muets un bon quart d'heure. Désarmé par son silence, j'ai pris l'initiative de parler de nouveau.

« Petrus, je ne veux pas remonter cette cascade parce que je vais tomber. Je sais que je ne vais pas mourir puisque, lorsque j'ai vu le visage de ma mort, j'ai également vu le jour où elle arrivera si je suis fidèle à mon chemin. Mais je peux dégringoler et rester paralysé pour le reste de ma vie.

Paulo, Paulo... » Il m'a regardé et il a souri. Il avait totalement changé. Il y avait dans sa voix un peu de l'Amour qui dévore et ses yeux brillaient.

« Tu vas dire que je romps le serment d'obéissance que j'ai prêté avant d'entreprendre le Chemin ?

– Tu ne romps aucun serment. Tu ne ressens ni peur ni paresse. Sans doute ne penses-tu pas non plus que je te donne un ordre inutile. Tu ne veux pas monter parce que tu dois penser aux mages noirs [1]. User de son pouvoir de décision ne signifie pas rompre un serment. Ce pouvoir n'est jamais refusé au pèlerin. »

J'ai contemplé la chute et je me suis retourné vers Petrus. J'évaluais les possibilités de monter et je n'en trouvais aucune.

« Fais attention, a-t-il repris. Je monterai devant toi, sans me servir d'aucun don. Et je réussirai. Si j'y parviens, simplement parce que j'aurai su où poser les pieds, tu devras en faire autant. Ainsi, j'annulerai ton pouvoir de décision. Si tu refuses après m'avoir vu monter, cela signifiera que tu romps un serment. »

Petrus s'est déchaussé. Il avait au moins dix ans de plus que moi et, s'il réussissait, je n'avais plus aucun argument. J'ai regardé la chute et j'ai senti un froid dans l'estomac.

Mais il n'a pas bougé. Bien que pieds nus, il est resté assis à la même place. Il s'est mis à regarder le ciel et il a dit :

« À quelques kilomètres d'ici, en 1502, la Vierge est apparue à un berger. Aujourd'hui c'est sa fête

1. Nom donné dans la Tradition aux Maîtres qui ont perdu le contact magique avec le disciple. On utilise également cette expression pour désigner les Maîtres qui ont suspendu le processus de connaissance après avoir dominé les seules forces de la Terre.

– la fête de la Vierge du Chemin –, et je vais lui offrir ma conquête. Je te conseille d'en faire autant. L'offrande d'une conquête. Ne présente pas la douleur de tes pieds ni les blessures de tes mains tailladées par les pierres. Le monde entier n'offre que la douleur de ses pénitences. Il n'y a rien de condamnable à cela, mais je crois qu'elle serait heureuse si, en plus de leurs souffrances, les hommes lui soumettaient aussi leurs joies. »

Je n'étais pas du tout disposé à parler. Je continuais à mettre en doute la capacité de Petrus à escalader cette paroi. Je me suis dit que tout cela était une farce ; en réalité, il me trompait par de belles paroles, pour m'obliger ensuite à faire ce que je ne voulais pas. Cependant, au cas où, j'ai fermé les yeux et j'ai prié la Vierge du Chemin. J'ai fait la promesse que, si Petrus et moi escaladions la paroi, je reviendrais un jour dans ce lieu.

« Tout ce que tu as appris jusqu'à présent n'a de sens que si cela trouve une application. Rappelle-toi, le chemin de Saint-Jacques est le chemin des gens ordinaires. Je te l'ai dit des milliers de fois. Sur le Chemin, comme dans la vie, la sagesse n'a de valeur que si elle peut aider l'homme à vaincre un obstacle.

« Un marteau n'aurait pas de raison d'être s'il n'existait des clous pour qu'il les martèle. Mais l'existence des clous n'est pas suffisante. Le marteau doit se mettre dans la main du Maître et être utilisé selon sa fonction. »

Je me suis rappelé les paroles du Maître à Itatiaia : « Celui qui possède une épée doit constamment la mettre à l'épreuve, afin qu'elle ne rouille pas dans le fourreau. »

« La chute est le lieu où tu vas mettre en pratique tout ce que tu as appris jusqu'à présent, a précisé mon guide. Tu as déjà un avantage : tu connais la date de ta mort, et cette peur ne te paralysera pas au moment où il te faudra décider rapidement où prendre appui. Mais rappelle-toi que tu dois compter avec l'eau et que c'est elle qui t'apportera ce dont tu auras besoin. N'oublie pas d'enfoncer ton ongle dans ton pouce si une mauvaise pensée te domine.

« Surtout, tu dois t'appuyer, à chaque instant de la montée, sur l'Amour qui dévore. C''est lui qui guide et justifie chacun de tes pas. »

Petrus s'est tu. Il s'est complètement déshabillé. Puis il s'est trempé tout entier dans l'eau froide de la petite lagune et il a levé les bras vers le ciel. J'ai vu qu'il était content, jouissant de la fraîcheur de l'eau et des arcs-en-ciel que les gouttes formaient autour de nous.

« Une chose encore, a-t-il dit avant de pénétrer sous le rideau de la cascade. Cette chute d'eau t'enseignera la manière d'être Maître. Je vais monter, mais il subsistera un voile d'eau entre toi et moi. Je monterai sans que tu puisses voir où je pose exactement mes pieds et mes mains.

« De même, un disciple ne peut jamais imiter les pas de son guide. À chacun sa manière de voir la vie, de vivre les difficultés et les conquêtes. Enseigner, c'est montrer ce qui est possible. Apprendre, c'est rendre possible à soi-même. »

Je n'ai rien ajouté. Je suis passé sous la cascade et j'ai commencé à monter. Je distinguais sa silhouette, comme on voit quelqu'un à travers un verre dépoli. Lentement et inexorablement, il progressait vers le haut. Plus il approchait du sommet, plus j'avais peur, parce qu'allait arriver le moment où je devrais en faire autant. Enfin, l'instant le plus terrible est survenu : se dégager de l'eau qui dégringolait en s'orientant toujours vers le haut. La force de la cascade aurait dû le rejeter au sol. Mais la tête de Petrus a émergé, et l'eau qui tombait l'habillait d'un manteau argenté. La vision a été très brève. Brusquement il a hissé son corps vers le haut en s'accrochant par tous les moyens au plateau – mais toujours à l'intérieur de l'eau. Je l'ai perdu de vue quelques instants.

Enfin il est apparu sur une rive. Le corps trempé, inondé de la lumière du soleil, il souriait.

« Allons ! a-t-il crié en faisant des signes des mains. Maintenant, à toi ! »

C'était mon tour. Ou bien il me faudrait renoncer pour toujours à mon épée.

J'ai retiré mes vêtements et j'ai prié de nouveau la Vierge du Chemin. Puis j'ai plongé la tête dans l'eau. Elle était glacée et mon corps s'est tendu, mais bientôt j'ai éprouvé une agréable sensation. Sans plus réfléchir, j'ai marché droit vers la chute.

L'impact de l'eau sur ma tête m'a donné l'absurde « sens du réel » qui affaiblit l'homme à l'heure où sa foi et sa force lui seraient le plus nécessaires. La chute était beaucoup plus violente que je ne l'avais imaginé et, si je la recevais en pleine poitrine, elle pouvait me renverser, même si mes deux pieds prenaient fermement appui au fond du bassin. J'ai franchi le courant et je suis resté entre la pierre et l'eau, le corps logé dans un espace restreint, collé à la roche. La tâche m'a semblée alors plus facile que je ne pensais.

Ce qui me paraissait une paroi polie de l'extérieur présentait en fait de nombreuses aspérités. Je suis devenu fou à la seule idée que j'aurais pu renoncer à mon épée par peur d'une pierre lisse alors qu'en réalité il s'agissait d'un genre de rocher que j'avais escaladé des dizaines de fois. Il me semblait entendre la voix de Petrus : « Tu vois ? Une fois résolu, un problème est d'une simplicité atterrante. »

J'ai grimpé, le visage collé à la roche humide. En dix minutes j'avais déjà parcouru plus de la moitié de la hauteur. Il ne restait plus qu'a traverser la cascade à son sommet. La victoire conquise dans cette ascension ne servirait à rien si je ne venais pas à bout du petit tronçon qui me séparait de l'air libre. Là se trouvait le danger et je n'avais pas bien vu comment Petrus l'avait surmonté. Je me suis remis à prier la Vierge du Chemin, une Vierge dont je n'avais jamais entendu parler auparavant, et en laquelle pourtant je mettais à cet instant toute ma foi, toute mon espérance de victoire. Avec précaution, j'ai glissé d'abord les cheveux, puis la tête, sous le torrent qui rugissait.

L'eau m'a enveloppé et m'a brouillé la vue. J'ai senti sa force et je me suis accroché fermement à la roche, baissant la tête, de manière à former une poche d'air où respirer. Je me fiais totalement à mes pieds et mes mains. Celles-ci avaient tenu ma vieille épée et mes pieds avaient parcouru le chemin de Saint-Jacques. C'étaient de fidèles alliés. Mais le bruit de l'eau dans mes oreilles était assourdissant et je respirais difficilement. J'ai alors plongé la tête dans le courant et, pendant quelques secondes, tout est devenu noir.

Je luttais pour rester accroché aux saillies, mais le fracas semblait m'entraîner vers un endroit mystérieux et lointain, où rien n'avait plus la moindre importance et où je parviendrais si je me livrais à cette force. L'effort surhumain que je déployais pour demeurer collé au rocher ne serait plus nécessaire : tout serait repos et paix.

Cependant, mes pieds et mes mains ont résisté à la tentation mortelle. Et ma tête a commencé à émerger lentement du voile d'eau, comme elle y était entrée. J'ai été saisi d'un amour profond pour mon corps, qui m'aidait dans cette folle aventure, l'aventure d'un homme qui franchit une chute d'eau en quête de son épée.

Alors, j'ai vu le soleil briller au-dessus de moi, et j'ai inspiré profondément. Cela m'a donné une vigueur nouvelle. J'ai regardé tout autour et j'ai aperçu, à quelques centimètres, le plateau que nous avions parcouru et qui marquait la fin du voyage. J'étais fortement tenté de me précipiter et de m'y accrocher mais je n'apercevais aucun renfoncement qui me le permettrait à cause de l'eau qui tombait. L'impulsion finale était violente mais ce n'était pas encore le moment de la conquête et je devais me contrôler. C'était le moment le plus critique de toute l'escalade, l'eau me frappant la poitrine, la pression menaçant de me rejeter vers la terre, d'où j'avais osé sortir, poussé par mes rêves.

Ce n'était pas le moment de penser aux Maîtres, aux amis, et je ne pouvais regarder de côté pour voir si Petrus était en mesure de me sauver au cas où je glisserais. Il a dû faire cette escalade un million de fois, ai-je songé, et il doit savoir que j'ai désespérément besoin d'aide. Mais il m'a abandonné. Ou peut-être ne m'a-t-il pas abandonné, peut-être est-il derrière moi, mais je ne peux pas tourner la tête, cela me déséquilibrerait. Je dois réussir seul ma conquête.

J'ai gardé les pieds et une main crispés sur la roche, tandis que l'autre se libérait et cherchait l'harmonie avec l'eau. Elle ne devait pas résister, parce que j'utilisais déjà le maximum de mes forces. Ma main est donc devenue poisson, libre d'aller mais sachant parfaitement où elle voulait arriver. Je me suis souvenu des films de mon enfance où des saumons bondissaient dans des chutes d'eau parce qu'ils devaient atteindre leur but, eux aussi.

Mon bras s'est levé lentement en se servant de la force de l'eau. Il s'est libéré et, tel un saumon des films de mon enfance, il a plongé dans l'eau à la recherche d'un point quelconque où prendre appui pour le saut final. La pierre avait été polie par des siècles d'érosion. Mais il devait y avoir un renfoncement : si Petrus avait réussi, je le pouvais aussi. Une grande douleur m'a envahi. J'étais

211

maintenant à un pas de la fin, au moment où les forces diminuent et où l'homme n'a plus confiance en lui. Il m'était arrivé, dans ma vie, de perdre au dernier moment : j'avais traversé à la nage un océan et j'avais failli me noyer dans le déferlement des vagues près du rivage. Mais j'étais sur le chemin de Saint-Jacques et cette histoire ne pouvait se répéter indéfiniment – il fallait vaincre cette fois.

Ma main libre glissait sur la roche lisse et la pression de l'eau se faisait de plus en plus forte. Mes autres membres n'en pouvaient plus, et je pouvais avoir des crampes à n'importe quel moment. L'eau frappait aussi violemment mes organes génitaux et la douleur était intense. Soudain, ma main libre a trouvé un appui. Il se situait en dehors du trajet de l'ascension, mais il servirait à mon autre main ultérieurement. J'ai retenu mentalement son emplacement et ma main, guidant mon salut, a alors rencontré, à quelques centimètres du premier, un autre point d'appui qui m'attendait.

Là se trouvait l'endroit où, pendant des siècles, les pèlerins en route vers Saint-Jacques avaient trouvé appui. Je me suis accroché de toutes mes forces, libérant mon autre main. D'abord rejetée en arrière par la force de la rivière, elle a atteint le premier renfoncement. Aussitôt, mon corps a suivi la voie ouverte par mes bras et je me suis hissé sur le plateau.

Le dernier pas était franchi. J'ai traversé complètement le courant et subitement la sauvagerie de la chute n'a plus été qu'un filet d'eau, presque paisible. Je me suis hissé au bord et je me suis abandonné à la fatigue. Le soleil réchauffait mon corps, je me rappelai que j'avais réussi et j'étais aussi vivant que lorsque je me trouvais dans le bassin en contrebas. Malgré le fracas, j'ai perçu le bruit des pas de Petrus qui s'approchait.

J'ai voulu me lever, exprimer ma joie, mais mon corps épuisé a refusé d'obéir.

« Reste tranquille, repose-toi. Essaie de respirer lentement. »

C'est ce que j'ai fait et j'ai sombré dans un sommeil profond et sans rêves. À mon réveil, le soleil avait baissé sur l'horizon et Petrus, déjà habillé, m'a tendu mes vêtements et a dit qu'il nous fallait continuer.

« Je suis très fatigué, ai-je répliqué.

– Ne t'en fais pas. Je vais t'apprendre à puiser l'énergie dans tout ce qui t'entoure. »

Et Petrus m'a enseigné LE SOUFFLE DE RAM.

J'ai réalisé l'exercice pendant cinq minutes et je me suis senti mieux. Je me suis relevé, j'ai enfilé mes vêtements et pris mon sac à dos.

« Viens par ici » m'a enjoint Petrus. J'ai marché

213

Le souffle de RAM

Évacue l'air des poumons en les vidant au maximum. Puis inspire lentement tout en levant les bras. Pendant l'inspiration, concentre-toi pour que pénètrent dans ton cœur amour, paix et harmonie avec l'univers.

Garde la respiration bloquée et les bras levés le plus longtemps possible, en jouissant de l'harmonie intérieure et extérieure. Puis expire rapidement en prononçant le mot RAM.

Répète l'exercice pendant cinq minutes.

jusqu'au bord du plateau. Sous mes pieds, rugissait la source.

« D'ici, cela semble beaucoup plus facile que d'en bas, ai-je remarqué.

– Exactement. Et si je t'avais montré ce panorama plus tôt, tu aurais été trahi. Tu aurais mal évalué tes possibilités. »

J'étais encore faible et j'ai répété l'exercice. Bientôt, je me suis senti en harmonie avec tout l'univers autour de moi, il a pénétré dans mon cœur. J'ai demandé à Petrus pourquoi il ne m'avait pas enseigné le Souffle de RAM plus tôt, car bien souvent j'avais ressenti paresse et fatigue sur le chemin de Saint-Jacques.

« Parce que tu ne l'as jamais montré », a-t-il rétorqué en riant, me demandant s'il me restait encore les délicieux biscuits au beurre que j'avais achetés à Astorga.

La Folie

Depuis presque trois jours, nous faisions une marche forcée. Petrus me réveillait avant le lever du soleil et nous ne nous arrêtions qu'à neuf heures du soir. Les seuls repos concédés avaient lieu à l'occasion des repas puisque mon guide avait aboli la sieste des premières heures de l'après-midi. Il donnait l'impression de suivre un mystérieux programme qu'il ne m'était pas permis de connaître.

Son comportement avait, en outre, totalement changé. Au début, je pensais que c'était à cause de mes doutes lors de l'épisode de la chute, puis j'ai compris que non. Il se montrait irritable avec tout le monde et il consultait sa montre plusieurs fois par jour. Je lui ai rappelé ses propres paroles : nous créons nous-mêmes la notion du temps.

« Tu es chaque jour plus avisé, m'a-t-il rétorqué. Nous verrons bien si tu mettras toute cette intelligence en pratique quand il le faudra. »

217

Un après-midi, j'étais tellement fatigué par le rythme de la marche que je ne pouvais tout simplement plus faire un pas. Petrus m'a ordonné alors de retirer ma chemise et d'adosser ma colonne vertébrale à un arbre qui se trouvait tout près. Je suis resté ainsi quelques minutes; bientôt je me suis senti mieux. Il m'a expliqué que les végétaux, principalement les vieux arbres, sont capables de transmettre l'harmonie à quiconque adosse au tronc son centre nerveux. Durant des heures, il a fait un discours sur les propriétés physiques, énergétiques et spirituelles des plantes.

Ayant déjà lu tout cela quelque part, je ne me suis pas soucié de prendre des notes. Mais le discours de Petrus a eu pour effet de dissiper l'impression que j'avais qu'il était fâché contre moi. J'ai considéré alors son silence avec davantage de respect et lui, devinant peut-être mes inquiétudes, tentait de se montrer aussi sympathique que sa mauvaise humeur des jours derniers le lui permettait.

Un matin, nous sommes arrivés devant un pont immense, disproportionné au mince filet d'eau qui coulait en dessous. C'était un dimanche, très tôt, et les tavernes et les bars du bourg voisin étaient encore fermés. Nous nous sommes assis pour le petit déjeuner.

« L'homme et la nature ont de semblables caprices, ai-je remarqué, essayant d'engager la discussion. Nous construisons de beaux ponts et elle se charge de dévier le cours des rivières.

– C'est la sécheresse, a-t-il expliqué. Termine vite ton sandwich, nous devons continuer. »

Je me suis enfin décidé à lui demander les raisons d'une telle hâte.

« Je suis depuis longtemps sur le chemin de Saint-Jacques, je te l'ai déjà dit. J'ai beaucoup de choses à faire en Italie. Je dois bientôt rentrer. »

Cette réponse ne m'a pas convaincu. C'était peut-être vrai mais ce n'était sûrement pas le seul motif. Alors que j'allais insister, il a détourné la conversation.

« Que sais-tu de ce pont ?

– Rien. Et même en tenant compte de la sécheresse, ses dimensions sont disproportionnées. Je crois vraiment que la rivière a dévié son cours.

– Je n'en ai aucune idée, a-t-il dit. Mais il est connu sur le chemin de Saint-Jacques comme le " passage de l'Honneur ". Ces champs autour de nous ont été le cadre de sanglantes batailles entre les Souabes et les Wisigoths et, plus tard, entre les soldats d'Alphonse III et les Maures. S'il est aussi long, c'est peut-être pour que tout ce sang pût couler sans inonder la ville. »

C'était de l'humour noir. Je n'ai pas ri. Un peu déconcerté, il a repris :

« Ce ne sont ni les armées des Wisigoths ni les cris de triomphe d'Alphonse III qui ont donné son nom à ce pont. Mais une histoire d'amour et de mort.

« Aux premiers siècles du chemin de Saint-Jacques, à mesure qu'affluaient de toute l'Europe pèlerins, prêtres, nobles, et même des rois qui voulaient rendre hommage au saint, arrivèrent aussi des assaillants et des bandits de grand chemin. L'Histoire relate d'innombrables cas de vols de caravanes entières et de crimes horribles commis contre les pèlerins solitaires. »

Tout se répète, ai-je pensé en mon for intérieur.

« Aussi de nobles chevaliers décidèrent-ils d'accorder aux pèlerins leur protection, et chacun d'eux se chargea de veiller sur une partie du Chemin. Mais, tout comme les rivières changent leur cours, l'idéal des hommes est aussi sujet à transformations. Outre qu'ils épouvantaient les malfaiteurs, les chevaliers errants commencèrent à se disputer pour savoir qui était le plus fort et le plus courageux du chemin de Saint-Jacques. Ils se mirent bientôt à s'affronter et les bandits reprirent impunément leurs actions sur les routes.

« Cela dura longtemps, jusqu'au moment où, en 1434, un noble de la ville de León se prit de passion pour une femme. Il s'appelait don Suero de Quiñones, il était riche et puissant. Il tenta par tous les moyens d'obtenir la main de sa dame. Mais cette femme, dont l'Histoire n'a pas retenu le nom, ne voulut rien entendre de cette immense passion, et rejeta sa requête. »

J'étais avide d'apprendre quel était le lien entre un amour refusé et la querelle des chevaliers errants. Petrus a remarqué mon intérêt et il m'a promis de raconter la suite de l'histoire à condition que je termine mon sandwich sans tarder et que nous nous remettions en marche aussitôt.

« On dirait ma mère quand j'étais petit », ai-je répliqué. Mais j'ai avalé le reste du pain, j'ai pris mon sac à dos et nous avons commencé à traverser la petite ville endormie.

Petrus a poursuivi son récit :

« Blessé dans son amour-propre, notre chevalier décida de faire exactement ce que font tous les hommes quand ils se sentent rejetés : entreprendre une guerre privée. Il se jura de réaliser un exploit si important que la demoiselle n'oublierait jamais plus son nom. Durant des mois, il chercha un noble idéal auquel consacrer cet amour refusé. Puis, un certain soir, alors qu'il entendait parler des crimes et des luttes sur le chemin de Saint-Jacques, lui vint une idée.

« Il réunit dix amis, s'installa dans ce bourg où

nous nous trouvons, et répandit parmi les pèlerins qui passaient par ici qu'il était disposé à rester trente jours – et briser trois cents épées – pour prouver qu'il était le plus fort et le plus audacieux de tous les chevaliers du Chemin. Lui et ses amis installèrent un camp avec leurs drapeaux, leurs étendards, pages et serviteurs, et attendirent qu'on vînt les défier. »

J'ai imaginé la fête que cela avait dû être. Sangliers rôtis, vin à profusion, musique, contes et joutes. Un tableau vivant m'est apparu, tandis que Petrus reprenait.

« Les joutes commencèrent le 10 juillet, lors de l'arrivée des premiers chevaliers. Quiñones et ses amis combattaient le jour et organisaient de grandes fêtes la nuit. Les joutes avaient toujours lieu sur le pont afin que personne ne pût s'enfuir. À une époque arrivèrent un si grand nombre de combattants que des feux étaient allumés sur toute la longueur du pont. Ainsi, les batailles pouvaient se poursuivre jusqu'au petit matin. Tous les chevaliers vaincus étaient obligés de jurer que jamais plus ils ne lutteraient les uns contre les autres et que dorénavant leur unique mission serait d'assurer la protection des pèlerins jusqu'à Compostelle.

« En quelques semaines, la renommée de Quiñones se répandit à travers toute l'Europe. Outre les chevaliers du Chemin, affluèrent pour le défier des généraux, des soldats et des bandits. Tous savaient que celui qui réussirait à vaincre le brave chevalier de León deviendrait célèbre du jour au lendemain et que son nom serait couronné de gloire. Mais, tandis que les autres ne recher-chaient que la renommée, Quiñones avait un objectif beaucoup plus noble : l'amour d'une femme. Et cet idéal le fit sortir victorieux de tous les combats.

« Le 9 août, les joutes prirent fin et don Suero de Quiñones fut reconnu comme le plus brave et le plus vaillant de tous les chevaliers du chemin de Saint-Jacques. De ce jour, nul n'osa plus mettre en doute son courage, et les nobles se remirent à affronter leur seul ennemi commun, les bandits de grand chemin qui attaquaient les pèlerins. Cette épopée allait plus tard donner naissance à l'ordre militaire de Saint-Jacques-de-l'Épée. »

Nous avions traversé le bourg. J'ai voulu faire demi-tour pour revoir le « passage de l'Honneur », le pont où toute cette histoire s'était déroulée. Mais Petrus a proposé que nous poursuivions.

« Et qu'est devenu don Quiñones ? ai-je demandé.

– Il est allé à Saint-Jacques-de-Compostelle déposer dans le reliquaire un collier en or qui aujourd'hui encore orne le buste de saint Jacques le Majeur.

– Je me demande si finalement il a épousé la demoiselle.

– Ah ça ! je l'ignore, a répondu Petrus. À cette époque, l'Histoire n'était écrite que par les hommes. À côté de tant de scènes de bataille, qui se serait intéressé à la fin d'une histoire d'amour ? »

Sur ces mots, mon guide est retombé dans son mutisme habituel, et nous avons cheminé plus de deux jours en silence, presque sans nous arrêter pour nous reposer.

Le troisième jour, Petrus a adopté une cadence anormalement lente. Il était un peu fatigué, a-t-il dit, de tout l'effort produit durant la semaine, et il n'avait plus l'âge ni la forme physique pour suivre un tel rythme. Une fois de plus j'ai eu la certitude qu'il ne disait pas la vérité : plutôt que la fatigue, son visage trahissait une intense inquiétude, comme si un événement capital était sur le point de se produire.

L'après-midi, nous sommes arrivés à Foncebadon, un bourg immense mais totalement en ruine. Les maisons étaient construites en pierre, mais les toits en ardoise avaient été détruits par le temps et le bois des poutres avait pourri. D'un côté, le bourg donnait sur un précipice et, devant nous,

224

derrière une colline, se trouvait l'un des hauts lieux du chemin de Saint-Jacques : la Croix de fer.

Cette fois, c'était moi qui étais impatient d'atteindre cet étrange monument composé d'un tronc de deux mètres de haut, surmonté d'une croix de fer. La croix avait été érigée là au temps de l'invasion de César, en hommage à Mercure. Selon la tradition païenne, les pèlerins avaient coutume d'y déposer une pierre apportée de loin. Profitant de l'abondance de roches dans cette ville abandonnée, j'ai ramassé sur le sol un morceau d'ardoise.

Puis, résolu à presser le pas, je me suis aperçu que Petrus marchait très lentement. Il examinait les maisons en ruine, fouillait parmi les troncs d'arbres morts et les reliques de livres, jusqu'au moment où il a décidé de s'asseoir au beau milieu d'une place où s'élevait une croix de bois.

« Reposons-nous un peu », a-t-il proposé.

Il faisait encore jour, et même si nous étions restés là une heure, nous aurions eu encore le temps d'arriver à la Croix de fer avant la tombée de la nuit.

Je me suis assis à ses côtés et j'ai contemplé le paysage désert. De même que les rivières changent de cours, les hommes changent de lieu. Les maisons étaient solides, et il avait sans doute fallu du temps avant qu'elles ne s'écroulent.

L'endroit était plaisant, avec les montagnes au fond et une vallée au premier plan ; je me suis demandé pour quelle raison tous ces gens avaient abandonné un tel endroit.

« Crois-tu que don Suero de Quiñones était fou ? » m'a demandé Petrus.

J'avais déjà oublié qui était don Suero et il a dû me rappeler le « passage de l'Honneur ».

« Je ne pense pas qu'il l'était », ai-je répondu.

Mais je doutais du bien-fondé de ma réponse.

« Pourtant, il l'était, de même qu'Alfonso, le moine que tu as rencontré. Comme je le suis, et je manifeste cette folie dans les dessins que je fais. Ou comme toi, qui es en quête de ton épée. Nous avons tous à l'intérieur, brûlante, la flamme sainte de la folie, qui est nourrie d'Agapè.

« Il n'est pas besoin pour cela de vouloir conquérir l'Amérique ou de converser avec les oiseaux comme saint François d'Assise. Le marchand de légumes du coin peut manifester cette flamme sainte de la folie, s'il aime ce qu'il fait. Agapè existe au-delà des concepts humains, et il est contagieux car le monde en a soif. »

Petrus m'a rappelé que je savais réveiller Agapè grâce à l'exercice du Globe bleu. Mais pour qu'Agapè pût s'épanouir, il ne fallait pas avoir peur de bouleverser ma vie. Si j'aimais ce que je faisais, très bien ; mais sinon, il était toujours temps de la modifier. En laissant se produire un changement, je me transformais en un terrain fertile et je laissais l'imagination créatrice répandre en moi sa semence.

« Tout ce que je t'ai enseigné, y compris Agapè, n'a de sens que si tu es satisfait de toi. Dans le cas contraire, les exercices que tu as appris te mèneront inévitablement au désir de changement. Pour qu'ils ne se retournent pas contre toi, il faut permettre qu'une transformation se produise.

« C'est le moment le plus difficile de la vie d'un homme. Quand il discerne le Bon Combat, mais se sent incapable de changer de vie pour le mener. La connaissance se retournera alors contre celui qui la détient. »

J'ai regardé la ville de Foncebadon. Peut-être que tous ces gens, collectivement, avaient ressenti ce besoin de changement. J'ai demandé à Petrus s'il avait choisi ce cadre à dessein pour me dire cela.

« Je ne sais ce qui s'est passé ici, a-t-il répondu. Les gens sont souvent obligés d'accepter un changement provoqué par le destin, mais ce n'est pas de cela que je parle. Je parle d'un acte volontaire, d'un désir concret de lutter contre tout ce qui ne te satisfait pas dans ton quotidien.

« Au cours de notre existence, nous sommes toujours confrontés à des problèmes difficiles. Par exemple, traverser une chute d'eau sans qu'elle te renverse. Tu dois alors laisser agir l'imagination créatrice. Dans ton cas, il y avait là un enjeu de vie ou de mort, et pas le temps pour hésiter : Agapè t'a indiqué la seule voie.

« Mais il est des problèmes pour lesquels nous devons choisir entre une voie et une autre. Des problèmes quotidiens, comme une décision professionnelle, une rupture affective, une rencontre sociale. Chacune de ces petites décisions peut signifier le choix entre la vie et la mort. Lorsque tu sors de chez toi le matin pour te rendre à ton travail, tu as le choix entre un moyen de transport qui te laissera sain et sauf à la porte de ton bureau, et un autre qui subira un accident entraînant la mort de ses occupants. Voilà comment une simple décision peut concerner quelqu'un pour le reste de sa vie. »

Je réfléchissais tandis que Petrus parlait. J'avais choisi de parcourir le chemin de Saint-Jacques en quête de mon épée. Elle était ce qui m'importait le plus, et il m'était nécessaire de la trouver de toute manière. Je devais prendre la décision juste.

« Le seul moyen de prendre la décision juste est de reconnaître la mauvaise décision, a expliqué Petrus quand je lui eus exposé ma préoccupation. Examiner l'autre voie, sans crainte et sans morbidité, et ensuite décider. »

Alors Petrus m'a enseigné L'EXERCICE DES OMBRES.

L'EXERCICE DES OMBRES

Décontracte-toi.

Pendant cinq minutes, observe autour de toi les ombres des choses ou des êtres. Cherche à savoir exactement quelle partie de l'objet ou de la personne est réfléchie.

Pendant les cinq minutes suivantes, continue ainsi, mais en même temps fixe ton attention sur le problème que tu désires résoudre, et envisage toutes les solutions inadéquates que tu pourrais trouver.

Enfin, passe cinq autres minutes à regarder les ombres et considère les solutions justes qui restent. Élimine-les une à une jusqu'à ce que seule demeure la solution exacte à ton problème.

« Ton problème, c'est ton épée », a-t-il dit après m'avoir exposé l'exercice.

J'ai acquiescé.

« Alors fais cet exercice maintenant. Je vais me promener. À mon retour, je sais que tu auras trouvé la solution juste. »

Je me suis rappelé la hâte de Petrus ces jours derniers et cette conversation dans la ville abandonnée. On aurait dit qu'il cherchait à gagner du temps, pour prendre lui aussi une décision. J'ai repris courage et j'ai réalisé l'exercice.

J'ai commencé par le Souffle de RAM pour me mettre en harmonie avec l'environnement. Ensuite, pendant un quart d'heure, j'ai regardé les ombres autour de moi. Ombres de maisons en ruine, de pierre, de bois, de la vieille croix dans mon dos. En les observant ainsi durant les dix premières minutes, j'ai compris à quel point il était difficile de savoir quelle partie exacte était réfléchie. Je n'y avais jamais songé. Certaines poutres droites se transformaient en formes anguleuses, et une pierre irrégulière avait une forme arrondie quand elle se reflétait. Je n'ai pas eu de difficulté à me concentrer parce que l'exercice était fascinant. J'ai alors envisagé les solutions inappropriées pour trouver mon épée. D'innombrables idées m'ont traversé l'esprit – depuis « prendre un bus pour Saint-Jacques », jusqu'à

« téléphoner à ma femme et, en lui faisant du chantage affectif, obtenir qu'elle me dise où elle l'avait rangée ».

Lorsque Petrus est revenu, je souriais.

« Alors ?

– J'ai découvert comment Agatha Christie écrivait ses romans policiers, ai-je dit pour plaisanter. Elle transformait la plus mauvaise hypothèse en hypothèse juste. Elle connaissait sûrement l'exercice des Ombres. »

Petrus m'a demandé où se trouvait mon épée.

« Je vais d'abord te décrire l'hypothèse inexacte que j'ai élaborée en regardant les ombres : l'épée ne se trouve pas sur le chemin de Saint-Jacques.

– Tu es génial ! Tu as découvert que nous marchions depuis tout ce temps à la recherche de ton épée. Je croyais qu'on te l'avait déjà dit au Brésil.

– Et gardée en lieu sûr, ai-je continué, un lieu où ma femme n'aurait pas accès. J'en ai déduit qu'elle se trouve dans un lieu absolument ouvert, mais de telle manière qu'on ne la voit pas. »

Petrus n'a pas ri, cette fois. J'ai poursuivi :

« Et comme le plus absurde serait qu'elle se trouve dans un endroit plein de monde, elle est dans un endroit quasi désert. J'irai plus loin : pour que les quelques personnes qui la voient ne devinent pas la différence entre une épée comme la mienne et une épée espagnole typique, elle doit

231

se trouver quelque part où personne ne sait distinguer les styles.

— Tu penses qu'elle est ici?

— Non, elle n'est pas ici. Ce serait une grave erreur que de faire cet exercice là où se trouve mon épée. Cette hypothèse, je l'ai abandonnée tout de suite. Mais elle doit être dans une ville semblable à celle-ci. Il ne peut s'agir d'une ville abandonnée parce qu'une épée dans une ville abandonnée attirerait l'attention des pèlerins et des promeneurs. On la retrouverait très vite accrochée au mur d'un bar.

— Très bien », a-t-il dit, et j'ai remarqué qu'il était fier de moi ou de l'exercice qu'il m'avait enseigné.

« Encore une chose, ai-je insisté.

— Laquelle?

— Le pire endroit où puisse se trouver l'épée d'un frère serait un lieu profane. Elle doit être en un lieu sacré. Par exemple, dans une église où personne ne se risquerait à la voler. En résumé : mon épée se trouve dans l'église d'une petite ville près de Saint-Jacques, à la vue de tous, mais en harmonie avec le milieu. Dorénavant, je vais visiter toutes les églises du Chemin.

— Ce ne sera pas nécessaire, a-t-il objecté. Lorsque le moment sera venu, tu le reconnaîtras. »

232

J'avais réussi.

« Écoute, Petrus, pourquoi avons-nous marché si vite et pourquoi maintenant restons-nous si longtemps dans une ville abandonnée ?

– Quelle serait la décision la plus mauvaise ? »

J'ai regardé les ombres en un clin d'œil. Il avait raison. Nous n'étions pas là par hasard.

Le soleil avait disparu derrière la montagne mais une vive clarté demeurait avant la tombée de la nuit. Ses rayons devaient encore frapper la Croix de fer, la croix que je voulais voir et qui ne se trouvait qu'à quelques centaines de mètres. Je voulais connaître les raisons de cette attente. Nous avions marché très rapidement toute la semaine et j'y voyais pour seul motif que nous devions arriver là ce jour et à cette heure précise.

J'ai tenté d'entamer la conversation, histoire de passer le temps, mais j'ai senti Petrus tendu et concentré. Je l'avais vu plusieurs fois de mauvaise humeur, mais je ne me rappelais pas l'avoir vu tendu. Soudain, je me suis souvenu que si, il l'avait été une fois, alors que nous prenions le petit déjeuner dans un village dont j'avais oublié le nom, peu avant de rencontrer...

J'ai levé les yeux. Il était là. Le chien.

Le chien violent qui m'avait d'abord jeté à terre,

le chien lâche qui était parti en courant la fois suivante. Petrus avait promis de m'aider à notre prochaine rencontre, et je me suis tourné vers lui. Mais à côté de moi il n'y avait plus personne.

J'ai gardé les yeux rivés sur ceux de l'animal, tandis que je cherchais rapidement un moyen d'affronter la situation. Aucun de nous n'a fait le moindre mouvement, et j'ai pensé une seconde aux duels de western dans les villes fantômes. Jamais personne ne songerait à mettre en scène un duel entre un homme et un chien – trop invraisemblable ! Et pourtant je vivais là, dans la réalité, ce qui dans la fiction serait invraisemblable.

Là se trouvait Légion, parce qu'ils étaient nombreux. Près de moi, il y avait une maison abandonnée. Si je m'étais mis à courir, j'aurais pu grimper sur le toit, et Légion ne m'aurait pas suivi. Il était prisonnier du corps et des possibilités d'un chien.

J'ai vite laissé tomber l'idée, pendant que je gardais les yeux fixés sur les siens. À plusieurs reprises sur le Chemin, j'avais redouté ce moment et voilà qu'il était arrivé. Avant de trouver mon épée, je devais rencontrer l'ennemi, et vaincre ou subir la défaite. Il ne me restait qu'à l'affronter. Si j'avais fui alors, je serais tombé dans un piège. Peut-être le chien ne serait-il pas revenu, mais la peur m'aurait accompagné jusqu'à Saint-Jacques-de-Compostelle. Même plus tard, j'aurais rêvé du chien des nuits entières, redoutant qu'il apparût l'instant suivant et vivant dans la peur pour le restant de mes jours.

Tandis que réfléchissais, le chien a fait un mouvement dans ma direction. Aussitôt je me suis concentré exclusivement sur la lutte qui allait s'engager. Petrus s'était enfui et j'étais seul. J'ai eu peur. Et au moment où j'ai eu peur, le chien a commencé à se diriger lentement vers moi, en grognant doucement. Ce grognement contenu était beaucoup plus menaçant qu'un glapissement violent et ma peur a augmenté. Devinant la faiblesse dans mon regard, le chien s'est jeté sur moi.

Ce fut comme si une pierre m'avait frappé la poitrine. J'ai été jeté à terre. Je me suis vaguement souvenu que je connaissais ma mort et qu'elle n'arriverait pas de cette manière, mais la peur croissait en moi et je ne parvenais pas à la contrôler. J'ai lutté pour défendre seulement mon visage et ma gorge. Une forte douleur à la jambe m'a fait me contracter et j'ai compris que de la chair avait été arrachée. J'ai ôté mes mains de ma tête et je les ai portées vers la blessure. Le chien en a profité et il s'est préparé à m'attaquer au visage. À ce moment, ma main a touché une pierre. Je m'en suis emparé et j'ai frappé la bête de toute la force de mon désespoir.

Le chien s'est éloigné un peu, plus surpris que blessé, et j'ai réussi à me relever. Il a reculé encore, mais la pierre couverte de sang m'a donné du courage. Mon respect excessif pour mon ennemi était un piège. L'animal ne pouvait pas avoir plus de force que moi. Il pouvait être plus agile, mais il ne pouvait pas être plus fort parce que j'étais plus lourd et plus grand que lui. Désormais, j'avais moins peur mais j'avais perdu tout contrôle, et je me suis mis à gueuler, la pierre à la main. L'animal a reculé encore et soudain il s'est arrêté.

C'était comme s'il lisait dans mes pensées. Dans mon désespoir, je me sentais fort, et ridicule de me battre avec un chien. Une sensation de pouvoir m'a envahi tout à coup et un vent chaud s'est mis à souffler dans cette ville déserte. J'ai ressenti alors un ennui énorme à poursuivre cette lutte – au bout du compte, il suffisait de le viser en pleine tête avec la pierre et il serait vaincu. J'ai voulu mettre un terme à cette histoire, regarder la blessure à ma jambe, et en finir avec cette absurde expérience d'épée et d'étrange chemin de Saint-Jacques.

C'était encore un piège. Le chien a fait un bond et m'a jeté de nouveau au sol. Cette fois, il a réussi à éviter habilement la pierre et m'a mordu la main pour que je la lâche. J'ai commencé à lui donner des coups de poing, à main nue, mais sans lui causer de dommage sérieux. Je pouvais seulement éviter qu'il morde davantage. Ses griffes aiguisées ont commencé à lacérer mes vêtements et mes bras, et j'ai compris que ce n'était qu'une question de temps : il allait me dominer complètement.

Soudain j'ai entendu en moi une voix disant que, s'il me dominait, la lutte s'achèverait et je serais sauf. Vaincu mais vivant. Ma jambe me faisait mal et tout mon corps, couvert d'égratignures, me brûlait. La voix insistait pour que j'abandonne la lutte et je l'ai reconnue : c'était la voix d'Astrain, mon Messager. Le chien s'est arrêté un moment comme s'il avait entendu lui aussi la voix, et une fois encore j'ai eu envie de tout abandonner. Astrain me disait que bien des gens dans cette vie ne trouvent pas leur épée. Quelle différence cela pouvait-il faire ? Ce que je voulais, c'était rentrer chez moi, retrouver ma femme, avoir des enfants et faire le travail que j'aime. Assez de toutes ces absurdités, assez d'affronter des chiens et d'escalader des chutes ! C'était la deuxième fois que je me disais cela, mais là l'envie était plus forte et j'ai eu la certitude que j'allais me rendre à la seconde suivante.

Un bruit dans la rue a attiré l'attention de l'animal. C'était un berger qui ramenait ses brebis des champs. Il m'est soudain revenu en mémoire que j'avais déjà vécu cette scène, dans les ruines d'un vieux château. Lorsque le chien a remarqué les brebis, il s'est détaché de moi d'un bond et s'est préparé à les attaquer. C'était mon salut.

Le berger s'est mis à crier et les brebis se sont dispersées en courant. Avant que le chien ne s'éloignât, j'ai résisté une seconde de plus, pour laisser aux bêtes le temps de s'enfuir, et j'ai retenu le chien par une patte. J'ai eu le fol espoir que le berger viendrait à mon secours et j'ai retrouvé un instant la confiance dans l'épée et le pouvoir de RAM.

Le chien tentait de se dégager. Déjà je n'étais plus l'ennemi, mais un importun. Ce qu'il voulait maintenant se trouvait là, devant lui : les brebis. Mais j'étais toujours agrippé à la patte de l'animal, attendant un berger qui ne venait pas, attendant des brebis qui ne s'enfuyaient pas.

Cette seconde a sauvé mon âme. Une force immense a surgi en moi, et ce n'était plus l'illusion du pouvoir, qui provoque l'ennui et le désir de renoncer. Astrain a murmuré de nouveau : je devais toujours affronter le monde avec les mêmes armes que celles qui me défiaient. Et je ne pouvais affronter un chien qu'en devenant chien moi-même.

C'était la folie dont Petrus m'avait parlé ce jour-là. J'ai montré les dents et j'ai grogné tout bas, la haine s'exprimant par les sons que je produisais. En un clin d'œil j'ai vu le visage effrayé du berger, et les brebis qui me craignaient autant que le chien.

Légion a compris et il a pris peur. Alors j'ai donné l'estocade. C'était la première fois depuis le début du combat. J'ai attaqué avec les dents et les ongles, en essayant de mordre le chien au col, exactement comme j'avais craint qu'il ne le fît. Il n'y avait en moi qu'un immense désir de victoire. Rien d'autre n'avait d'importance. Je me suis jeté sur l'animal et je l'ai renversé à terre. Il luttait pour se dégager et ses griffes s'enfonçaient dans ma peau, mais moi aussi je mordais et griffais. S'il se dégageait, il allait fuir une fois de plus et je ne voulais pas que cela se reproduisît jamais. Aujourd'hui, j'allais le vaincre et le mettre en déroute.

L'animal m'a considéré avec effroi. Maintenant j'étais un chien et lui paraissait transformé en homme. Ma vieille peur agissait en lui, avec une telle force qu'il est parvenu à se dégager mais je l'ai enfermé au fond d'une maison abandonnée. Derrière un petit mur d'ardoise se trouvait le précipice et il n'avait plus de moyen de fuir. C'était un homme qui allait voir là le visage de sa mort.

Soudain, j'ai compris que quelque chose n'allait pas. J'étais trop fort. Ma pensée devenait brumeuse, je voyais le visage d'un gitan et des images vagues autour de ce visage. J'étais devenu Légion. C'était cela, mon pouvoir. Ils avaient abandonné ce pauvre chien effrayé qui, d'un instant à l'autre, allait sombrer dans l'abîme, et maintenant ils étaient en moi. J'ai éprouvé un terrible désir de mettre en pièces l'animal sans défense.

« Tu es le Prince et ils sont Légion », a murmuré Astrain. Mais je ne voulais pas être un prince ; j'ai aussi entendu de loin la voix de mon Maître me disant avec insistance que j'avais une épée à découvrir. Il fallait résister encore un peu. Je ne devais pas tuer ce chien.

Le regard du berger a confirmé ce que je pensais. Il avait maintenant davantage peur de moi que du chien. J'ai eu un étourdissement et le paysage tout autour a vacillé. Je ne devais pas m'évanouir, sinon ce serait la victoire de Légion. Je devais trouver une solution. Je ne luttais plus contre un animal mais contre la force qui m'avait possédé. J'ai senti mes jambes flageoler et j'ai pris appui sur un mur mais celui-ci a cédé sous mon poids. Parmi les pierres et les morceaux de bois, je suis tombé face contre terre.

La terre. Légion était la terre, les fruits de la terre. Les fruits bons et mauvais de la terre, mais la terre. C'était sa demeure, gouvernant ou étant gouvernée par le monde. Agapè a explosé en moi et j'ai planté de toutes mes forces mes ongles dans la terre. J'ai poussé un hurlement, un cri semblable à celui que j'avais entendu la première fois que le chien et moi nous étions rencontrés. J'ai senti que Légion traversait mon corps et descendait vers la terre parce qu'en moi il y avait Agapè : Légion ne voulait pas être consumé par l'Amour qui dévore. C'était ma volonté, la volonté qui me faisait lutter contre l'évanouissement, la volonté d'Agapè fixée dans mon âme, résistant. Tout mon corps a tremblé.

Je me suis mis à vomir, mais je sentais que c'était Agapè qui grandissait et sortait par tous mes pores. Mon corps a continué de trembler jusqu'au moment où, longtemps après, j'ai compris que Légion avait regagné son royaume.

Je me suis assis par terre, blessé et meurtri, et j'ai eu la vision d'une scène absurde : un chien, en sang et secouant la queue, et un berger effrayé qui me regardait.

« Ce doit être quelque chose que vous avez mangé, a dit le berger, qui refusait de croire ce qu'il venait de voir. Maintenant que vous avez vomi, cela va passer. »

J'ai hoché la tête. Il m'a remercié d'avoir retenu « mon » chien, et il a repris sa route avec ses brebis.

Petrus s'est approché en silence. Il a découpé un morceau de sa chemise et l'a enroulé autour de ma jambe qui saignait beaucoup. Il m'a demandé de bouger mes membres et mon corps et il a conclu qu'il n'y avait rien de très grave.

« Tu fais peur à voir », a-t-il dit en souriant. Sa rare bonne humeur était revenue. « Impossible dans ces conditions d'aller visiter la Croix de fer aujourd'hui. Il doit y avoir des touristes et tu les effrayerais. »

Je n'ai pas réagi. Je me suis levé, j'ai secoué la poussière de mes vêtements et constaté que je pouvais marcher. Petrus m'a suggéré de faire un peu de Souffle de RAM et il a porté mon sac. Grâce à l'exercice, j'ai retrouvé l'harmonie avec le monde. Dans une demi-heure j'arriverais à la Croix de fer.

Et un jour Foncebadon renaîtrait de ses ruines. Légion y a laissé beaucoup de pouvoir.

L'Ordre et l'Obéissance

Je suis arrivé à la Croix de fer soutenu par Petrus, ma jambe blessée ne me permettant pas de marcher seul. Lorsqu'il eut constaté l'importance des dommages causés par le chien, mon guide a décidé que je devais rester au repos tant que je n'aurais pas récupéré suffisamment pour continuer le chemin de Saint-Jacques. Tout près de là, une bourgade servait d'abri aux pèlerins surpris par la nuit. Petrus a trouvé deux chambres chez un forgeron et nous nous sommes installés.

Mon appartement avait un petit balcon, révolution architecturale qui, depuis ce village, s'était répandue dans toute l'Espagne du VIII siècle. J'apercevais une série de monts que, tôt ou tard, il me faudrait franchir avant d'arriver à Saint-Jacques. Je me suis écroulé sur le lit et je ne me suis réveillé que le lendemain, un peu fiévreux mais dispos.

Petrus est allé chercher de l'eau à une fontaine que les habitants du village appellent le « puits sans fond » et il a nettoyé mes blessures. L'après-midi, il est revenu avec une vieille femme qui habitait dans les environs. Ils ont placé diverses herbes sur mes plaies et sur mes égratignures, et la vieille m'a forcé à boire une tisane amère. Chaque jour, jusqu'à ce qu'elles se fussent complètement refermées, Petrus m'obligeait à lécher mes plaies. Je sentais toujours le goût métallique et doucereux du sang qui me donnait la nausée, mais mon guide affirmait que la salive est un puissant désinfectant et que cela m'aiderait à lutter contre une éventuelle infection.

Le deuxième jour, la fièvre est revenue. Petrus et la vieille m'ont de nouveau fait boire de la tisane, ont recouvert les blessures d'un nouvel onguent d'herbes, mais la fièvre, même si elle n'était pas très élevée, ne cédait pas. Alors mon guide s'est rendu dans une base militaire des environs chercher des bandages, puisqu'il n'y avait dans tout le hameau ni gaze ni sparadrap pour me faire un pansement.

Au bout de quelques heures, il est revenu, avec les bandages, en compagnie d'un jeune médecin militaire qui voulait absolument savoir où se trouvait l'animal qui m'avait mordu.

« D'après le genre des plaies, l'animal a la rage, a affirmé d'un air grave le médecin militaire.

– Pas du tout, ai-je répliqué. C'est un jeu qui a dépassé les limites. Je connais l'animal depuis très longtemps. »

Le médecin n'était pas convaincu. Il voulait qu'on me fît un vaccin antirabique et j'ai été contraint de m'en laisser injecter au moins une dose, sous la menace d'être transféré à l'hôpital de la base. Ensuite il m'a encore demandé où se trouvait l'animal qui m'avait mordu.

« À Foncebadon, ai-je répondu.

– Foncebadon est une ville en ruine. Il n'y a pas de chiens par là-bas », a-t-il décrété de l'air savant d'une personne qui vient de démasquer un mensonge.

J'ai commencé à pousser quelques gémissements de douleur feinte et Petrus a reconduit le médecin hors de la chambre. Mais celui-ci nous a laissé tout ce dont nous avions besoin : des bandages propres, du sparadrap et une pommade cicatrisante.

Petrus et la vieille n'ont pas utilisé la pommade. Ils ont bandé les blessures avec de la gaze remplie d'herbes. J'en ai été très heureux, car je n'avais plus à lécher mes morsures. La nuit, ils s'agenouillaient tous les deux près de mon lit et, les mains tendues au-dessus de mon corps, ils priaient à voix haute. J'ai interrogé Petrus à ce sujet, et il a fait une vague allusion aux charismes et au chemin de Rome. J'ai insisté mais il est resté muet.

Deux jours après, j'étais complètement rétabli. De la fenêtre j'ai vu des soldats qui faisaient des recherches dans la ville et les collines alentour. J'ai demandé à l'un d'eux pourquoi.

« Il y a un chien enragé qui rôde dans les environs », m'a-t-il répondu.

L'après-midi même, le forgeron propriétaire des chambres est venu me demander de quitter la ville dès que je serais en état de marcher. L'histoire s'était répandue parmi les habitants de la bourgade et ils craignaient que je n'aie la rage et que je ne puisse transmettre la maladie. Petrus et la vieille ont tenté de discuter avec lui mais l'homme était inflexible. Il est même allé jusqu'à affirmer qu'l avait vu un filet d'écume couler aux commissures de mes lèvres pendant mon sommeil.

Aucun argument ne put le convaincre que tous, lorsque nous dormons, nous pouvons présenter ce phénomène. Cette nuit-là, la vieille et mon guide sont restés longtemps en prière, les mains tendues au-dessus de mon corps. Et le lendemain, boitant un peu, j'étais de nouveau sur le chemin de Saint-Jacques.

J'ai demandé à Petrus s'il s'était inquiété pour mon rétablissement.

« Sur le chemin de Saint-Jacques, il existe une règle dont je ne t'ai pas parlé, a-t-il répondu. Cette règle est la suivante : une fois qu'on a entrepris le Chemin, la seule excuse pour l'interrompre est la maladie. Si tu n'étais pas capable de résister à tes blessures, et si la fièvre persistait, c'eût été le présage que notre voyage devait s'arrêter là. Mais, ajouta-t-il dit avec fierté, tes prières ont été exaucées. »

Et j'ai eu la certitude que ce courage était aussi important pour lui que pour moi.

Le chemin était maintenant tout en descente, et Petrus m'a averti que cela continuerait ainsi deux jours encore. Nous avions repris notre rythme de marche habituel ponctué d'une sieste tous les après-midi, à l'heure où le soleil était le plus chaud. À cause de mes bandages, Petrus portait mon sac à dos. Il n'y avait plus tant de hâte : le rendez-vous avait eu lieu.

Mon état s'améliorait d'heure en heure, et j'étais assez fier de moi : j'avais escaladé une chute et mis en déroute le démon du Chemin. Maintenant seule demeurait la tâche la plus importante : trouver mon épée. J'en ai fait part à Petrus.

« La victoire a été belle mais tu as raté le plus important. »

Ces paroles m'ont glacé.

« C'est-à-dire ?

– La reconnaissance du moment exact du combat. J'ai dû accélérer, faire une marche forcée, et tout ce qui t'a préoccupé, c'est la quête de ton épée. À quoi sert l'épée d'un homme qui ignore où il va rencontrer son ennemi?

– L'épée est mon instrument de pouvoir, ai-je rétorqué.

– Tu es trop convaincu de ton pouvoir. La chute d'eau, les Pratiques de RAM, les conversations avec ton Messager t'ont fait oublier qu'il te restait un ennemi à vaincre. Et tu avais rendez-vous avec lui. Avant que la main ne dirige l'épée, elle doit localiser l'ennemi et savoir comment l'affronter. L'épée ne fait que porter le coup. Mais la main est déjà victorieuse ou perdante bien avant ce coup.

« Tu as réussi à vaincre Légion sans ton épée. Il y a un secret dans cette quête, un secret que tu n'as pas encore découvert, mais sans lequel tu ne pourras jamais trouver ce que tu cherches. »

Je suis resté silencieux. Chaque fois que j'avais la certitude d'approcher de mon objectif, Petrus me répétait avec insistance que j'étais un simple pèlerin et qu'il manquait toujours quelque chose pour que j'atteigne mon but. La sensation de bonheur que j'éprouvais quelques minutes avant cette conversation avait totalement disparu.

Une fois de plus, je me retrouvais au début du

chemin de Saint-Jacques et cela m'a rempli de découragement. Par cette route que foulaient mes pieds, des millions de gens étaient passés, pendant douze siècles, pour aller à Saint-Jacques-de-Compostelle ou en revenir. Dans leur cas, arriver là où ils voulaient n'était qu'une question de temps. Dans ma situation, les pièges de la Tradition plaçaient toujours sur mon chemin un nouvel obstacle à surmonter, une épreuve de plus à accomplir.

J'ai dit à Petrus que je me sentais fatigué et nous nous sommes assis à l'ombre dans la descente. De grandes croix de bois bordaient la route. Petrus a posé les deux sacs sur le sol.

« Un ennemi représente toujours notre côté faible, a-t-il repris. Qui peut être la peur de la douleur physique, mais aussi la sensation prématurée de la victoire, ou le désir d'abandonner le combat en se disant qu'il n'en vaut pas la peine. Notre ennemi n'entreprend la lutte que parce qu'il sait qu'il peut nous atteindre. Exactement au point où notre orgueil nous a fait croire que nous étions invincibles. Dans la lutte, nous cherchons toujours à défendre notre côté faible, tandis que l'ennemi frappe le côté mal protégé – celui dans lequel nous avons le plus confiance. Et nous sommes finalement vaincus parce qu'arrive ce qui ne devrait jamais arriver : l'abandon à l'ennemi du choix de la façon de combattre. »

Tout ce dont Petrus parlait s'était produit au cours de mon combat contre le chien. En même temps, je refusais l'idée que j'avais des ennemis et que j'étais obligé de me battre contre eux. Lorsque Petrus faisait allusion au Bon Combat, j'avais toujours cru qu'il s'agissait de la lutte pour la vie.

« Tu as raison, mais le Bon Combat n'est pas seulement cela. Faire la guerre n'est pas un péché », a-t-il dit, quand je lui eus fait part de mes doutes. « Faire la guerre est un acte d'amour. L'ennemi nous donne l'occasion de progresser et de nous accomplir, comme le chien l'a fait avec toi.

– Pourtant, on dirait que tu n'es jamais satisfait. Il manque toujours quelque chose. Maintenant, parle-moi du secret de mon épée. »

Cela, j'aurais dû le savoir avant d'entreprendre le voyage, a répliqué Petrus. Et il a continué à parler de l'ennemi.

« L'ennemi est une parcelle d'Agapè, et il est là pour tester notre main, notre volonté, l'usage que nous faisons de l'épée. C'est à dessein qu'il a été placé dans nos vies – et nous dans la sienne. Ce dessein doit être accompli. Aussi, fuir la lutte est le pire qui puisse nous arriver. C'est bien pire que de perdre la lutte parce que, dans la défaite, nous pouvons toujours apprendre quelque chose, mais dans la fuite, tout ce que nous obtenons, c'est de déclarer la victoire de notre ennemi. »

J'étais surpris d'entendre Petrus parler de violence en ces termes, lui qui semblait si attaché à Jésus, et je le lui ai dit.

« Pense à la nécessité de Judas pour Jésus, a-t-il remarqué. Il devait choisir un ennemi, sinon sa lutte sur terre n'aurait pu être glorifiée. »

Les croix de bois sur le chemin montraient comment cette gloire avait été édifiée. Avec le sang, la trahison et l'abandon. Je me suis levé et j'ai dit que j'étais prêt à poursuivre le voyage.

En route, j'ai demandé quel était, dans une lutte, le point le plus fort sur lequel un homme pouvait s'appuyer pour vaincre l'ennemi.

« Son présent. L'homme s'appuie mieux sur ce qu'il est train de faire, parce que là se trouve Agapè, l'envie de vaincre avec enthousiasme.

« Je veux que ceci soit bien clair : l'ennemi représente rarement le Mal. Il est toujours là parce qu'une épée qui ne sert pas finit par rouiller dans son fourreau. »

Je me suis rappelé qu'une fois, alors que nous faisions construire une maison de campagne, ma femme avait subitement décidé de modifier la disposition d'une chambre. C'est à moi que revint la tâche désagréable de faire part de ce changement au maçon. C'était un homme d'une soixantaine d'années, et je lui dis ce que je voulais. Il regarda, réfléchit et proposa une solution bien meilleure,

251

qui permettait d'utiliser le mur qu'il avait commencé à élever. Ma femme trouva l'idée formidable.

Peut-être était-ce de cela que Petrus voulait parler, avec des mots si compliqués : utiliser la force de ce que nous sommes en train de faire pour vaincre l'ennemi.

Je lui ai raconté l'histoire du maçon.

« La vie enseigne toujours davantage que l'étrange chemin de Saint-Jacques, a-t-il conclu. Mais nous n'avons pas une grande foi dans les enseignements de la vie. »

Les croix ponctuaient tous les trente mètres la route de saint Jacques. Elles devaient être l'œuvre d'un pèlerin d'une force quasi surhumaine pour avoir soulevé ce bois solide et lourd. J'ai demandé à Petrus leur signification.

« Un instrument de torture vieux et dépassé.

— Mais que font-elles ici ?

— Quelqu'un a dû faire une promesse. Comment le saurais-je ? »

Nous nous sommes arrêtés devant l'une d'elles, qui avait été renversée.

« Peut-être le bois est-il pourri, ai-je dit.

— Elle est du même bois que toutes les autres. Et aucune n'a pourri.

– Alors, elle n'était pas plantée assez fermement dans le sol. »

Petrus a regardé à la ronde. Il a jeté son sac par terre et s'est assis. Nous nous étions reposés quelques minutes auparavant et je n'ai pas compris son geste. Instinctivement j'ai regardé tout autour, cherchant le chien.

« Tu as vaincu le chien, a-t-il dit, comme s'il devinait mes pensées. N'aie pas peur du fantôme des morts.

– Alors pourquoi nous arrêtons-nous ? »

Petrus m'a fait signe de me taire et il est resté quelques minutes silencieux. J'ai senti revenir la vieille peur du chien et j'ai résolu de me lever, en attendant qu'il se décidât à parler.

« Qu'entends-tu ? a-t-il demandé au bout d'un certain temps.

– Rien. Le silence.

– Si seulement nous étions éclairés au point d'écouter dans le silence ! Mais nous sommes encore des hommes et nous ne savons même pas écouter nos propres bavardages. Tu ne m'as jamais demandé comment j'avais deviné l'arrivée de Légion, et maintenant je vais te le dire : grâce à l'audition. Le bruit a commencé plusieurs jours avant, quand nous étions encore à Astorga. À partir de là, j'ai entrepris de marcher plus vite, car tout indiquait que nos chemins allaient se croiser à Foncebadon. Tu as entendu le même bruit que moi, mais tu n'as pas écouté.

« Tout est écrit dans les sons. Le passé, le présent et le futur de l'homme. Un homme qui ne sait pas entendre ne peut écouter les conseils que la vie nous prodigue à chaque instant. Seul celui qui écoute le bruit du présent peut prendre la décision juste. »

Petrus m'a demandé de m'asseoir et d'oublier le chien. Puis il m'a enseigné l'une des Pratiques de RAM les plus faciles et les plus importantes du chemin de Saint-Jacques.

Et il m'a expliqué L'EXERCICE DE L'AUDITION.

« Fais-le tout de suite. »

J'ai entrepris l'exercice. J'écoutais le vent, une voix féminine dans le lointain et, à un certain moment, j'ai entendu une branche se briser. Ce n'était pas un exercice difficile, et sa simplicité m'a fasciné. J'ai collé l'oreille au sol et j'ai écouté le bruit sourd de la terre. Peu à peu je me suis mis à distinguer les sons : celui des feuilles immobiles, celui d'une voix au loin, le bruit des battements d'ailes des oiseaux. Un animal a grogné, mais je n'ai pas pu identifier quelle bête c'était. Les quinze minutes de l'exercice sont passées très vite.

« Avec le temps, tu verras que cet exercice t'aidera à prendre la décision correcte, a dit

L'EXERCICE DE L'AUDITION

Détends-toi. Ferme les yeux.

Essaie, durant quelques minutes, de te concentrer sur les sons qui t'entourent, comme s'il s'agissait d'un orchestre dans lequel tous les musiciens jouent.

Peu à peu, distingue chaque son. Fixe ton attention sur chacun, l'un après l'autre, comme sur un instrument jouant en solo, en faisant abstraction du reste.

À force de réaliser quotidiennement cet exercice, tu entendras des voix. D'abord, tu penseras que ce sont le fruit de ton imagination. Ensuite tu découvriras que ce sont les voix de personnes passées, présentes ou futures qui font partie de la mémoire du temps.

Cet exercice ne doit être réalisé que si tu connais déjà la voix de ton Messager.

Durée minimale : dix minutes.

Petrus, sans me demander ce que j'avais écouté. Agapè s'exprime par le Globe bleu, mais aussi par la vue, le toucher, l'odorat, le cœur et l'audition. Dans une semaine, au maximum, tu commenceras à écouter les voix. D'abord timides, elles te diront peu à peu des choses importantes. Fais seulement attention à ton Messager, qui va essayer de t'induire en erreur. Mais tu connais sa voix, il ne sera plus une menace. »

Petrus m'a questionné pour savoir si j'avais entendu l'appel joyeux d'un ennemi, l'invitation d'une femme, ou le secret de mon épée.

« J'ai seulement entendu une voix féminine au loin, ai-je répondu. Mais c'était une paysanne qui appelait son enfant.

— Alors regarde cette croix devant toi, et remets-la debout par la pensée. »

J'ai demandé quel était cet exercice.

« Celui de la foi dans ta pensée. »

Je me suis assis par terre, dans la position du yogi. Je savais qu'après tout ce que j'avais accompli, le chien, la chute, j'allais réussir cela aussi. J'ai regardé fixement la croix. Je me suis imaginé sortant de mon corps, saisissant ses branches, et la soulevant à l'aide de mon corps astral. Sur la voie de la Tradition, j'avais déjà réalisé quelques-uns de ces petits « miracles ». Je parvenais à briser des verres, des statues de porcelaine, et à déplacer des objets sur une table. C'était un procédé facile, qui n'était pas synonyme de pouvoir, mais qui aidait beaucoup à convaincre les « impies ». Je ne l'avais jamais encore pratiqué avec un objet de la taille et du poids de cette croix mais, si Petrus avait ordonné, je saurais réussir.

Pendant une demi-heure, j'ai tout essayé. Je me servais du voyage astral et de la suggestion. Je me suis rappelé comment le Maître dominait la force de gravité et j'ai tenté de répéter les mots qu'il prononçait toujours dans ces circonstances. Rien ne s'est produit. J'étais concentré et la croix ne bougeait pas. J'ai invoqué Astrain, qui est apparu entre les colonnes de feu. Mais quand je lui ai parlé de la croix, il a dit qu'il détestait cet objet.

Finalement, Petrus m'a secoué et m'a fait sortir de transe :

« Allons, cela devient très embêtant. Puisque tu ne réussis pas par la pensée, mets cette croix debout avec tes mains.

— Avec les mains ?

— Obéis ! »

J'ai sursauté. Soudain se tenait face à moi un homme dur, très différent de celui qui avait pris le soin de panser mes blessures. Je ne savais que dire, ni que faire.

257

« Obéis ! a-t-il répété. C'est un ordre ! »

J'avais les bras et les mains bandés depuis la lutte avec le chien. Je n'en croyais pas mes oreilles. Sans un mot, je lui ai montré les bandages. Mais il a continué à me regarder froidement, impassible. Il attendait que j'obéisse. Le guide et ami qui m'avait accompagné tout ce temps, qui m'avait enseigné les Pratiques de RAM et raconté les belles histoires du chemin de Saint-Jacques, semblait avoir disparu. À sa place, je voyais seulement un homme qui me regardait comme un esclave et m'ordonnait un acte stupide.

« Qu'attends-tu ? » a-t-il répété.

Je me suis rappelé la chute. Je me suis rappelé que, ce jour-là, j'avais douté de Petrus et qu'il avait été généreux à mon égard. Il avait montré son amour et m'avait empêché de renoncer à mon épée. Je n'arrivais pas à comprendre pourquoi quelqu'un de si généreux devenait si rude, représentant soudain tout ce que l'espèce humaine s'efforce de repousser : l'oppression de l'homme par son semblable.

« Petrus, je...

– Obéis où c'en est fini du chemin de Saint-Jacques. »

La peur est revenue. J'avais alors plus peur de lui que de la chute, plus peur de lui que du chien qui m'avait effrayé si longtemps. J'ai demandé désespérément à la nature de me faire un signe, qu'il me fût permis de voir ou d'entendre quelque chose qui justifiât cet ordre insensé. Tout, autour de moi, est resté silencieux. Il fallait obéir à Petrus ou oublier mon épée. Encore une fois j'ai levé mes bras bandés mais il s'est assis sur le sol, attendant que j'accomplisse son ordre.

J'ai décidé alors d'obéir.

J'ai marché jusqu'à la croix et j'ai tenté de la pousser du pied pour évaluer son poids. Elle a à peine bougé. Même si j'avais eu les mains libres, j'aurais éprouvé une immense difficulté à la soulever, et j'ai imaginé que, les mains bandées, la tâche serait quasi impossible. Mais j'allais obéir. J'allais mourir là-devant, s'il le fallait, j'allais suer le sang comme Jésus quand il eut à porter une aussi lourde charge, mais il allait voir ma dignité, et peut-être que cela toucherait son cœur et qu'il me délivrerait de cette épreuve.

La croix était brisée à la base mais restait accrochée par quelques fibres de bois. Je n'avais pas de canif pour les couper. Surmontant la douleur, je l'ai saisie et j'ai tenté de l'arracher de la base brisée sans me servir de mes mains. Les blessures de mes bras sont entrées en contact avec le bois et j'ai hurlé de douleur. J'ai regardé Petrus qui

demeurait impassible. J'ai résolu dès lors de rava-
ler mes cris et de les laisser mourir dans mon
cœur.

J'ai constaté que le plus difficile, dans l'immé-
diat, n'était pas de déplacer la croix mais de la
libérer de sa base. Ensuite il faudrait creuser un
trou dans le sol et l'y pousser. J'ai choisi une
pierre aiguisée et, surmontant ma souffrance, j'ai
commencé à frapper et limer les fibres de bois.

La douleur augmentait à chaque instant, et les
fibres cédaient lentement. Il aurait fallu terminer
rapidement avant que les blessures ne se rouvrent
et que la chose ne devienne insupportable. Mais
j'ai décidé de faire le travail un peu plus lentement afin d'en venir à bout avant que la douleur
n'ait raison de moi. J'ai enlevé mon tee-shirt, je
l'ai enroulé autour de ma main, et j'ai recommencé à travailler, mieux protégé. Ce fut une
bonne idée : la première fibre s'est rompue, puis
la deuxième. J'ai rassemblé plusieurs pierres
aiguisées et je les ai utilisées l'une après l'autre,
pour que l'échauffement de ma main atténuât
l'effet de la douleur. Presque toutes les fibres de
bois s'étaient rompues mais la principale résistait
encore. Je me suis mis à travailler frénétiquement
car je savais que j'allais bientôt arriver au point où
la douleur deviendrait insupportable. Ce n'était
qu'une question de temps, je devais me maîtriser.

Je serrais, je frappais, sentant qu'entre la peau et le bandage une substance pâteuse commençait à rendre les mouvements difficiles. Ce doit être du sang, me suis-je dit, mais j'ai évité d'y penser. Soudain, la fibre centrale a paru céder. J'étais tellement nerveux que je me suis relevé d'un bond et, rassemblant mes forces, j'ai donné un coup de pied violent dans le tronc.

Dans un grand bruit, la croix est tombée sur le côté, libérée de sa base.

Mon allégresse n'a duré que quelques brèves secondes. Ma main s'est mise à trembler violemment, alors que j'avais à peine commencé ma tâche. J'ai regardé Petrus : il s'était endormi. Un instant, j'ai imaginé un moyen de redresser la croix sans qu'il s'en rendît compte. Mais c'était exactement ce que Petrus voulait : que je relève la croix. Je n'avais aucun moyen de le tromper parce que la tâche dépendait de moi seul.

J'ai regardé le sol, la terre jaune et sèche. De nouveau les pierres seraient ma seule issue. Je ne pouvais déjà plus me servir de ma main droite, trop douloureuse, avec cette substance pâteuse qui m'angoissait énormément. J'ai retiré lentement la chemise autour des bandages : le sang avait taché la gaze, alors que la blessure était presque cicatrisée. Petrus était inhumain.

Je suis allé chercher une pierre plus lourde. La

261

chemise enroulée autour de ma main gauche, je me suis mis à frapper et à creuser la terre au pied de la croix. Mes progrès, d'abord rapides, se sont heurtés au sol dur et desséché. Je continuais à creuser mais le trou ne devenait pas plus profond. J'ai décidé de ne pas trop l'élargir afin que la croix pût s'emboîter sans être lâche à la base. Cela accroissait la difficulté à retirer la terre du fond. Ma main droite avait cessé de me faire mal, mais le sang coagulé me donnait la nausée. Comme je n'avais pas l'habitude de travailler de la main gauche, la pierre me glissait des doigts à tout instant.

J'ai creusé pendant un temps interminable. Chaque fois que la pierre frappait le sol, chaque fois que ma main entrait dans le trou pour retirer la terre, je pensais à Petrus. Je regardais son sommeil tranquille et je le haïssais du fond du cœur. Ni le bruit ni ma haine ne semblaient le perturber. « Petrus doit avoir ses raisons », pensais-je, mais je ne pouvais comprendre cette servitude et la manière dont il m'avait humilié. Alors, le sol devenait son visage, je frappais avec la pierre et la rage me stimulait à creuser plus profond. Tôt ou tard je finirais par réussir.

Alors que je venais de me faire cette réflexion, la pierre a touché un élément solide et m'a échappé une fois de plus. C'était exactement ce que je craignais : après avoir travaillé tout ce temps, j'avais rencontré un roc trop large pour que je puisse aller plus loin.

Je me suis levé, j'ai essuyé la sueur de mon visage et j'ai réfléchi. Je n'avais pas la force suffisante pour transporter la croix. Je ne pourrais pas tout recommencer parce que ma main gauche – maintenant que je m'étais arrêté – commençait à donner des signes d'insensibilité. C'était pire que la douleur et cela m'a inquiété. J'ai regardé mes doigts, ils remuaient toujours, obéissant à ma volonté, mais mon instinct me soufflait que je ne devais pas sacrifier cette main davantage.

J'ai contemplé le trou. Il n'était pas suffisamment profond pour contenir la base de la croix.

« La mauvaise solution t'indiquera la bonne. » Je me suis rappelé l'exercice des Ombres et la phrase de Petrus. Il avait aussi coutume de dire avec insistance que les Pratiques de RAM n'avaient de sens que si je pouvais les appliquer aux défis quotidiens de la vie. Même devant une situation absurde comme celle-ci, les Pratiques de RAM devaient servir à quelque chose.

« La mauvaise solution t'indiquera la bonne. » La voie impossible consistait à transporter la croix, et je n'en avais pas la force. La voie impossible consistait à creuser encore plus profond dans ce sol. Alors, si la mauvaise voie était de s'enfoncer davantage dans le sol, la voie adéquate était d'élever le sol. Mais comment?

Soudain, tout mon amour pour Petrus est revenu. Il avait raison. Je pouvais élever le sol.

J'ai commencé à rassembler toutes les pierres qui se trouvaient à la ronde et à les placer autour du trou en les mêlant à la terre que j'avais retirée. Dans un grand effort, j'ai soulevé un peu le pied de la croix et je l'ai calé avec des pierres de manière à ce qu'il se trouvât plus haut. Au bout d'une demi-heure, le sol était surélevé et le trou suffisamment profond.

Il ne me restait maintenant qu'à tirer la croix et à la basculer à l'intérieur du trou. Ultime effort. Je devais réussir. Une de mes mains était insensible et l'autre douloureuse. Mais mon dos n'avait que quelques égratignures. En m'allongeant sous la croix et en me relevant petit à petit, j'arriverais à la faire glisser à l'intérieur.

Je me suis couché sur le sol, sentant la poussière dans ma bouche et dans mes yeux. Ma main insensible, dans un dernier sursaut, a soulevé un peu la croix, et je me suis glissé dessous. Avec précaution, je me suis arrangé pour que le tronc se trouvât sur ma colonne vertébrale. Plusieurs fois j'ai pensé que la croix allait glisser mais j'allais très lentement de manière à prévoir le déséquilibre et le corriger par la posture de mon corps. Enfin j'ai atteint la position fœtale, genoux en avant, et je l'ai maintenue en équilibre sur mon dos. Un moment, le pied de la croix a vacillé sur le monticule de pierres mais il est resté en place.

« Encore heureux que je ne doive pas sauver l'univers », ai-je pensé, écrasé par le poids de cette croix et tout ce qu'elle représentait. Un profond sentiment de religiosité s'est emparé de moi : je me suis rappelé que quelqu'un déjà l'avait portée sur son dos et que ses mains blessées ne pouvaient fuir – comme les miennes – la douleur et le bois. C'était un sentiment de religiosité chargé de souffrance, que j'ai écarté aussitôt de mon esprit, parce que la croix sur mon dos s'était remise à chanceler.

Alors, me relevant lentement, j'ai commencé à renaître. Je ne pouvais regarder en arrière et le bruit était le seul moyen de m'orienter – mais peu auparavant j'avais appris à écouter le monde, comme si Petrus avait deviné que j'aurais besoin de ce genre de connaissance. Je me sentais peu à peu soulagé du poids de la croix et les pierres se mettaient en place. La croix montait lentement, pour me délivrer de cette épreuve, et redevenir le décor d'une partie du chemin de Saint-Jacques.

Il ne restait plus que l'effort final. Lorsque je serais assis sur mes talons, la traverse devrait glisser de mon dos et s'enfoncer dans le trou. Une ou deux pierres ont bougé mais la croix maintenant m'aidait car elle ne s'est pas éloignée de l'endroit où j'avais surélevé le sol. Enfin, une saccade dans mon dos m'a indiqué que la base se libérait. Ultime moment, semblable à celui où j'ai dû traverser le courant de la chute d'eau, l'instant le plus difficile, parce que l'on a peur de perdre et que l'on veut renoncer avant que cela n'arrive. J'ai senti une fois encore l'absurdité de ma tâche, qui consistait à remettre debout une croix alors que mon seul désir était de trouver mon épée et de renverser toutes les croix pour que renaisse au monde le Christ rédempteur. Rien de cela n'avait d'importance. J'ai fait un mouvement brutal du dos, la croix a glissé et j'ai compris que c'était le destin qui guidait mon ouvrage.

Je m'attendais à ce que la croix s'écroulât de l'autre côté en projetant de toutes parts les pierres que j'avais assemblées. J'ai pensé ensuite que mon impulsion avait peut-être été insuffisante et que la croix allait me retomber dessus. Mais j'ai seulement entendu que le bruit sourd d'un objet frappant le sol.

Je me suis retourné doucement. La croix était debout, elle vacillait encore sous l'impulsion.

Quelques pierres roulaient du monticule, mais elle n'allait pas tomber. Rapidement, j'ai remis les pierres en place, et je l'ai entourée de mes bras pour qu'elle cessât son balancement. Je l'ai sentie vivante, chaude, certain qu'elle avait été une amie durant toute ma tâche.

J'ai admiré mon travail quelque temps, jusqu'au moment où mes blessures se sont remises à me faire souffrir. Petrus dormait encore. Je me suis approché de lui, et je lui ai donné un léger coup de pied.

Il s'est réveillé subitement, et il a regardé la croix.

« Très bien » fut son seul commentaire. « À Ponferrada on changera tes bandages. »

La Tradition

« J'aurais préféré soulever un arbre. Lorsque je portais cette croix sur le dos, je me suis dit que la quête de la sagesse avait pour les hommes un goût de sacrifice. »

À l'endroit où je me trouvais maintenant, mes paroles paraissaient n'avoir aucun sens. L'épisode de la croix semblait un événement lointain, qui se serait produit non pas la veille, mais très longtemps auparavant. Il n'allait pas du tout avec la salle de bains en marbre noir, l'eau tiède de la baignoire d'hydromassage et le calice de cristal contenant un excellent rioja que je buvais lentement. Petrus était hors de mon champ de vision, dans la chambre du luxueux hôtel où nous étions descendus.

« Pourquoi la croix ? ai-je insisté.

– J'ai eu du mal à les convaincre à l'entrée que tu n'étais pas un mendiant », a crié mon guide depuis la chambre.

269

Il avait changé de sujet et je savais par expérience qu'il était inutile de s'obstiner. Je me suis levé, j'ai enfilé un pantalon et une chemise propre et j'ai refait mes pansements. J'avais écarté les bandes avec précaution, m'attendant à trouver des plaies, mais seule la croûte s'était rompue, laissant couler un peu de sang. Une nouvelle cicatrice s'était déjà formée, je me sentais remis et en forme.

Nous avons dîné au restaurant de l'hôtel. Petrus a commandé la spécialité de la maison, une paella à la valencienne, que nous avons mangée en silence, en dégustant un savoureux rioja. À la fin du dîner, il m'a invité à faire un tour.

Nous sommes sortis de l'hôtel et nous nous sommes dirigés vers la gare de chemin de fer. Il avait retrouvé son mutisme habituel et il est resté silencieux durant toute la promenade. Nous sommes arrivés près d'un dépôt de wagons, sale et sentant l'huile, et il s'est assis sur le marchepied d'une imposante locomotive.

« Arrêtons-nous ici », a-t-il proposé.

Je ne voulais pas que des taches d'huile salissent mon pantalon et j'ai préféré rester debout. J'ai demandé s'il ne valait pas mieux marcher jusqu'à la place principale de Ponferrada.

« Le chemin de Saint-Jacques est près de se terminer, a dit mon guide. Et comme notre réalité est beaucoup plus proche de ces wagons de train sentant l'huile que des recoins bucoliques que nous avons vus sur notre route, il vaut mieux que notre conversation aujourd'hui se tienne ici. »

Petrus m'a demandé de retirer mes tennis et ma chemise. Puis il a relâché les bandages de mon bras pour les rendre plus libres. Mais il a laissé ceux des mains.

« Ne sois pas désolé. Tu n'auras pas besoin de tes mains maintenant ; du moins pas pour attraper quelque chose. »

Il était plus sérieux que de coutume, et le ton de sa voix m'a alerté. Un événement important était sur le point de se produire.

Petrus est retourné s'asseoir et il m'a regardé un long moment. Puis il a repris la parole :

« Je ne te dirai rien sur l'épisode d'hier. Tu découvriras par toi-même sa signification et tu n'y parviendras que si tu décides un jour de parcourir le chemin de Rome, qui est le chemin des charismes et des miracles. Je te dirai une seule chose : les hommes qui se croient sages sont indécis à l'heure de commander et rebelles à l'heure d'obéir. Ils pensent qu'il est honteux de donner des ordres et déshonorant de les recevoir. Ne te comporte jamais ainsi.

« Tout à l'heure, dans la chambre, tu as dit que le chemin de la sagesse menait au sacrifice. C'est une erreur. Ton apprentissage ne s'est pas terminé hier : il te faut découvrir ton épée et le secret qu'elle contient. Les Pratiques de RAM conduisent l'homme à mener le Bon Combat et à accroître ses chances de victoire dans la vie. L'expérience que tu as faite n'est qu'une épreuve du Chemin – une préparation pour le chemin de Rome, si tu veux – et cela m'attriste que tu aies pensé ainsi. »

Il y avait réellement de la tristesse dans sa voix. J'ai remarqué que, durant tout le temps que nous avions passé ensemble, j'avais presque toujours mis en doute ce qu'il m'enseignait. Je n'étais pas un Castañeda humble et puissant devant les enseignements de don Juan, mais un homme orgueilleux et rebelle face à toute la simplicité des Pratiques de RAM. J'ai voulu le lui dire mais je savais qu'il était un peu tard.

« Ferme les yeux, a dit Petrus. Fais le Souffle de RAM et essaie de te mettre en harmonie avec ce fer, ces machines et cette odeur d'huile. C'est notre monde. Tu n'ouvriras les yeux que lorsque, ma partie terminée, je t'enseignerai un exercice. »

Je me suis concentré sur le Souffle, les paupières closes, et mon corps s'est peu à peu détendu. On entendait la rumeur de la ville, des chiens aboyant au loin, et un bourdonnement de voix qui discutaient, non loin de l'endroit où nous

nous trouvions. Soudain, j'ai entendu Petrus chanter une chanson italienne qui avait eu beaucoup de succès dans mon adolescence, qu'interprétait Pepino Di Capri. Je ne comprenais pas les paroles mais la chanson m'a rappelé de bons souvenirs et m'a permis d'apprécier un état de plus grande tranquillité.

« Il y a quelque temps », a-t-il commencé, quand il eut cessé de chanter, « alors que je préparais un projet que je devais remettre à la préfecture de Milan, j'ai reçu un message de mon Maître. Quelqu'un avait suivi jusqu'au bout la voie de la Tradition et n'avait pas reçu son épée. Je devais le guider sur le chemin de Saint-Jacques.

« L'événement ne m'a pas surpris : j'attendais un appel de ce genre à tout moment, parce que je n'avais pas encore accompli ma tâche : guider un pèlerin sur la Voie lactée, comme j'avais été guidé un jour. Mais cela m'a rendu nerveux, parce que c'était la première et unique fois où j'aurais à le faire, et je ne savais pas comment j'allais accomplir ma mission. »

Les paroles de Petrus m'ont beaucoup surpris. Je croyais qu'il avait déjà fait cela des dizaines de fois.

« Tu es venu et je t'ai conduit. Je confesse qu'au début cela a été très difficile, parce que tu t'intéressais beaucoup plus à l'aspect intellectuel des enseignements qu'au véritable sens du Chemin, qui est le chemin des gens ordinaires. Après la rencontre avec Alfonso, j'ai eu une relation beaucoup plus forte et intense avec toi, et j'ai cru que je te ferais découvrir le secret de ton épée. Mais cela ne s'est pas produit, et maintenant tu devras l'apprendre par toi-même, dans le peu de temps qu'il te reste pour cela. »

Ces paroles me rendaient nerveux, et je n'étais plus concentré sur le Souffle de RAM. Petrus a dû s'en rendre compte car il s'est remis à chanter la vieille chanson et ne s'est arrêté que lorsque j'étais de nouveau détendu.

« Si tu découvres le secret et trouves ton épée, tu découvriras aussi le visage de RAM, et tu seras maître du Pouvoir. Mais ce n'est pas tout : pour atteindre la sagesse, il te faudra encore parcourir les trois autres chemins, y compris le chemin secret, qui ne te sera pas révélé même par celui qui l'a emprunté. Je te dis cela parce que nous ne nous verrons plus qu'une seule fois. »

Mon cœur a fait un bond dans ma poitrine et involontairement j'ai rouvert les yeux. Petrus brillait de cette sorte de lumière que je n'avais vue que sur le Maître.

« Ferme les yeux! » et j'ai obéi promptement.

Mais j'avais le cœur serré et je n'arrivais plus à me concentrer. Mon guide a repris la chanson italienne et c'est longtemps après que je me suis à nouveau détendu un peu.

« Demain, tu recevras un billet t'indiquant où je me trouve. Ce sera un rituel d'initiation collective, un rituel en l'honneur de la Tradition. Des hommes et des femmes qui, au cours des siècles, ont contribué à nourrir la flamme de la sagesse, du Bon Combat, et d'Agapè. Tu ne pourras pas me parler. L'endroit où nous nous retrouverons est sacré, baigné par le sang des chevaliers qui ont suivi la voie de la Tradition et qui, malgré leurs épées aiguisées, ont été incapables de vaincre les ténèbres. Mais leur sacrifice n'a pas été vain, la preuve en est que des siècles plus tard des gens suivant des routes différentes seront là pour leur rendre hommage. C'est important et tu ne dois jamais l'oublier : même si tu deviens un Maître, sache que ton chemin n'est que l'un des nombreux chemins qui mènent à Dieu. Jésus a dit une fois : " La maison de mon Père a de nombreuses demeures. " »

Petrus a ajouté que, le surlendemain, je ne le reverrais plus.

« Un jour, tu recevras une dépêche de ma part te demandant de guider quelqu'un sur le chemin de Saint-Jacques, tout comme je t'ai guidé. Alors tu pourras vivre le grand secret de ce voyage, un secret que je vais te révéler maintenant, mais seulement en paroles. C'est un secret qui a besoin d'être vécu pour être compris. »

Il y a eu un silence prolongé. J'en suis venu à penser qu'il avait changé d'avis ou qu'il était parti. J'ai ressenti un immense désir d'ouvrir les yeux pour voir ce qui se passait, et j'ai fait un effort pour me concentrer sur le Souffle de RAM.

« Le secret est le suivant, a dit enfin Petrus. Tu ne peux apprendre que lorsque tu enseignes. Nous avons parcouru ensemble l'étrange chemin de Saint-Jacques, mais pendant que tu apprenais les Pratiques, moi, j'en découvrais la signification. En t'enseignant, j'ai appris réellement. En jouant le rôle de guide, j'ai réussi à trouver mon propre chemin.

« Si tu parviens à trouver ton épée, il te faudra enseigner le Chemin à quelqu'un. Alors seulement, quand tu accepteras le rôle de Maître, tu découvriras toutes les réponses dans ton cœur. Nous tous connaissons déjà tout, avant même que qui que ce soit ne nous en ait parlé. La vie enseigne à chaque moment, et il n'y a qu'un secret : accepter que, dans notre quotidien, nous puissions être aussi sages que Salomon et aussi puissants qu'Alexandre le Grand. Mais nous n'en prenons vraiment connaissance que lorsque nous sommes obligés d'enseigner à quelqu'un et de participer à des aventures aussi extravagantes que celle-là. »

J'étais en train de vivre l'une des séparations les plus inattendues de mon existence. Quelqu'un avec qui j'avais eu une relation aussi intense, dont j'attendais qu'il me conduisît jusqu'à mon objectif, me laissait là au beau milieu du chemin. Dans une gare ferroviaire qui sentait l'huile et en me faisant garder les yeux fermés.

« Je n'aime pas dire adieu, a repris Petrus. Je suis italien et je suis émotif. Ainsi que la loi l'exige, tu devras découvrir ton épée par toi-même – c'est le seul moyen pour que tu croies en ton propre pouvoir. Tout ce que j'avais à te transmettre, je te l'ai transmis. Il ne reste que l'exercice de la Danse, que je vais t'enseigner maintenant et qu'il te faudra réaliser demain au cours de la célébration rituelle. »

Il est resté silencieux quelque temps, puis :

« Celui qui se glorifie, que ce soit dans la gloire du Seigneur. Tu peux ouvrir les yeux. »

Petrus était assis normalement sur un attelage de la locomotive. Je n'avais pas envie de parler parce que, étant brésilien, j'étais moi aussi émotif. La lampe à mercure qui nous éclairait s'est mise à clignoter et un train a sifflé au loin, annonçant son arrivée prochaine.

L'EXERCICE DE LA DANSE

Détends-toi. Ferme les yeux.

Rappelle-toi les premières chansons que tu as entendues étant enfant. Fredonne-les intérieurement. Peu à peu, laisse une partie déterminée de ton corps – pieds, ventre, mains ou tête, etc. –, et seulement une partie, danser sur la mélodie que tu es en train de chanter.

Au bout de cinq minutes, cesse de chanter et écoute les sons qui t'entourent. Compose avec eux une mélodie et danse avec tout ton corps. Ne pense à rien en particulier, tâche seulement de te rappeler les images qui vont t'apparaître spontanément.

La danse est l'une des formes les plus parfaites de communication avec l'intelligence infinie.

Durée de l'exercice : quinze minutes.

Alors Petrus m'a enseigné L'EXERCICE DE LA DANSE.

« Encore une chose, a-t-il dit en me regardant au fond des yeux. Quand je suis rentré de mon pèlerinage, j'ai peint un immense tableau révélant tout ce qui m'était arrivé. C'est le chemin des gens ordinaires, et tu peux faire de même si tu veux. Si tu ne sais pas peindre, écris ou invente un ballet. Ainsi, où qu'ils se trouvent, les gens pourront parcourir la route de saint Jacques, la Voie lactée, l'étrange chemin de Saint-Jacques. »

Le train qui avait sifflé est entré en gare. Petrus a fait un signe de la main et il est monté dans un wagon. Je suis resté au milieu de ce bruit de freins crissant sur l'acier, à essayer de déchiffrer la mystérieuse Voie lactée au-dessus de ma tête, avec ses étoiles qui m'avaient conduit jusqu'ici et qui menaient, dans leur silence, la solitude et le destin des hommes.

Le lendemain, il n'y avait qu'une note dans le casier de ma chambre : « 7 heures du soir, château des Templiers. »

J'ai passé le reste de l'après-midi à errer. J'ai traversé plus de trois fois la petite ville de Ponferrada, tout en regardant au loin, perché sur une éminence, le château où je devrais me trouver à la tombée du jour. Les templiers avaient toujours beaucoup excité mon imagination, et le château de Ponferrada n'était pas la seule trace de l'ordre du Temple sur la route de saint Jacques. L'ordre fut créé par neuf chevaliers qui avaient décidé de ne pas revenir des croisades; en peu de temps ils étendirent leur pouvoir dans toute l'Europe et provoquèrent une véritable révolution dans les mœurs à l'aube de ce millénaire. Tandis que la plus grande partie de la noblesse ne pensait alors qu'à s'enrichir du travail des serfs dans le système féodal, les chevaliers du Temple consacrèrent leur vie, leur fortune et leurs épées à une seule cause : protéger les pèlerins en route vers Jérusalem, en trouvant un modèle de vie spirituelle qui les aidât dans leur quête de la sagesse.

En 1118, quand Hugues de Payns et huit chevaliers se réunirent dans la cour d'un vieux château abandonné, ils prêtèrent un serment d'amour pour l'humanité. Deux siècles plus tard, il y avait plus de cinq mille commanderies dispersées dans le monde connu, conciliant deux activités qui paraissaient jusque-là incompatibles : la vie militaire et la vie religieuse. Les donations de ses membres et celles des milliers de pèlerins reconnaissants permirent à l'ordre du Temple d'accumuler rapidement une richesse incalculable, qui plus d'une fois servit à payer la rançon de personnalités chrétiennes séquestrées par des musulmans. L'honnêteté des chevaliers était si grande que rois et nobles confiaient leurs biens aux templiers, ne voyageant qu'avec un document prouvant l'existence de ces biens. Ce document pouvait être échangé dans n'importe quel château de l'ordre du Temple contre une somme équivalente, et cela donna naissance aux lettres de change que nous connaissons aujourd'hui.

En outre, la dévotion spirituelle des chevaliers templiers leur permit de comprendre la vérité rappelée par Petrus la nuit précédente : que la maison du Père avait de nombreuses demeures. Ils cherchèrent alors à mettre un terme aux combats pour la foi et à rassembler les principales religions monothéistes de l'époque : chrétienne, judaïque et islamique. Leurs chapelles eurent dès lors la coupole ronde du temple judaïque de Salomon, les murs octogonaux des mosquées arabes, et les nefs caractéristiques des églises chrétiennes.

Cependant, comme tout ce qui a un peu d'avance sur son époque, les templiers commencèrent à susciter la méfiance. Leur grand pouvoir économique attira la convoitise des rois, et l'ouverture religieuse devint une menace pour l'Église. Le vendredi 13 octobre 1307, le Vatican et les principaux États européens organisèrent l'une des plus grandes opérations de police du

Moyen Âge : de nuit, les principaux chefs templiers furent arrêtés dans leurs châteaux et conduits en prison. Ils étaient accusés de pratiquer des cérémonies secrètes qui comprenaient l'adoration du démon, des blasphèmes contre Jésus-Christ, des rituels orgiaques et la pratique de la sodomie avec les impétrants. À l'issue de violentes tortures, abjurations et trahisons, l'ordre du Temple fut effacé de la carte de l'histoire médiévale. Ses trésors furent confisqués et ses membres dispersés de par le monde. Le dernier maître de l'ordre, Jacques de Molay, fut brûlé vif au centre de Paris, avec l'un de ses compagnons. Sa dernière requête fut de mourir en regardant les tours de la cathédrale Notre-Dame [1].

L'Espagne, cependant, engagée dans la reconquête de la péninsule Ibérique, trouva bon d'accueillir les chevaliers qui fuyaient l'Europe, afin qu'ils aident ses rois dans le combat mené contre les Maures. Ces chevaliers furent absorbés par les ordres espagnols, parmi lesquels l'ordre de Saint-Jacques-de-l'Épée, responsable de la garde du Chemin.

Tout cela m'est passé par la tête quand, à sept heures du soir exactement, j'ai franchi la porte

1. Si l'on veut approfondir davantage l'histoire et l'importance de l'ordre du Temple, je recommande le livre court mais intéressant de Régine Pernoud, *Les Templiers*, « Que sais-je ? », PUF.

principale du vieux château du Temple à Ponferrada, où j'avais rendez-vous avec la Tradition.

Il n'y avait personne. J'ai attendu une demi-heure, fumant cigarette sur cigarette, jusqu'au moment où j'ai imaginé le pire : le rituel avait dû avoir lieu à sept heures du matin. Mais, alors que je me décidais à partir, sont entrées deux jeunes filles, le drapeau des Pays-Bas et une coquille – symbole du chemin de Saint-Jacques – cousus sur leur vêtement. Elles sont venues jusqu'à moi, nous avons échangé quelques mots, et nous sommes arrivés à la conclusion que nous attendions la même chose. Le billet n'avait pas tort, ai-je pensé, soulagé.

Tous les quarts d'heure arrivait quelqu'un. Un Australien, cinq Espagnols et un autre Hollandais sont apparus. Hormis quelques questions concernant l'horaire – un doute que nous partagions –, nous n'avons presque pas échangé de paroles. Nous nous sommes assis ensemble dans une pièce du château, un vestibule en ruine qui avait servi jadis de cellier, et nous avons décidé d'attendre qu'un événement se produisît. Même s'il était nécessaire d'attendre un jour et une nuit de plus.

L'attente se prolongeait. Nous avons finalement discuté des motifs qui nous avaient menés jusqu'ici. J'ai alors appris que le chemin de Saint-Jacques est utilisé par différents ordres, liés pour la plupart à la Tradition. Les gens qui se trouvaient là étaient passés par de nombreuses épreuves et initiations, mais des épreuves que j'avais connues il y a très longtemps au Brésil. Seuls l'Australien et moi étions en quête du degré supérieur du Premier Chemin. Même sans entrer dans les détails, j'ai compris que la démarche de l'Australien différait totalement des Pratiques de RAM.

À vingt heures quarante-cinq environ, alors que nous étions sur le point de parler de nos vies personnelles, un gong a retenti. Le bruit provenait de l'ancienne chapelle du château. Et tous nous nous y sommes dirigés.

Ce fut une scène impressionnante. La chapelle – ou ce qui en restait, car la plus grande partie n'était que ruines – était éclairée par des torches. Là où, un jour, s'était dressé l'autel, se profilaient sept silhouettes revêtues des habits séculiers des templiers : capuchon et heaume d'acier, cotte de mailles, portant l'épée et le bouclier. J'en eus le souffle coupé : on aurait dit que le temps avait fait un bond en arrière. La seule chose qui maintenait le sens de la réalité, c'étaient nos costumes, jeans et tee-shirts, ornés de coquilles cousues.

Malgré la faible lueur des torches, j'ai pu discerner que l'un des chevaliers était Petrus.

« Approchez-vous de vos maîtres, a dit celui qui semblait le plus âgé. Fixez-les droit dans les yeux. Déshabillez-vous et recevez les vêtements. »

Je me suis dirigé vers Petrus. Il était dans une sorte de transe et n'a pas semblé me reconnaître. Mais j'ai remarqué dans ses yeux une certaine tristesse, la même tristesse que révélait sa voix la nuit précédente. J'ai ôté tous mes vêtements et Petrus m'a remis une sorte de tunique noire, parfumée, qui est tombée le long de mon corps. J'ai déduit que l'un de ces maîtres devait avoir plus d'un disciple, mais je n'ai pu voir lequel parce que je devais garder les yeux fixés sur ceux de Petrus.

Le prêtre suprême nous a conduits vers le centre de la chapelle et deux chevaliers ont commencé à tracer un cercle autour de nous, tandis qu'ils le consacraient :

« Trinitas, Sother, Messias, Emmanuel, Sabahot, Adonai, Athanatos, Jesu... [1] »

---

1. Comme il s'agit d'un rituel extrêmement long, que seuls peuvent comprendre ceux qui connaissent la voie de la Tradition, j'ai opté pour un résumé des formules utilisées. Cela n'a aucune conséquence sur cet ouvrage, puisque l'exécution de ce rituel ne visait que la rencontre des Anciens et le respect dû à ces derniers. L'essentiel de cette partie du chemin de Saint-Jacques — l'exercice de la Danse — est cependant décrit dans sa totalité.

Et le cercle a été tracé, protection indispensable pour ceux qui se trouvaient à l'intérieur. J'ai remarqué que quatre de ces personnes portaient une tunique blanche, ce qui signifie vœu de chasteté totale.

« Amides, Theodonias, Anitor ! a continué le prêtre suprême. Par les mérites des anges, Seigneur, je revêts le vêtement du salut, et puisse tout ce que je désire devenir réalité, à travers Toi, ô très sacré Adonai, dont le règne dure à tout jamais. Amen ! »

Le prêtre suprême a revêtu sur la cotte de mailles le manteau blanc, avec la croix du Temple brodée en son centre. Les autres chevaliers ont fait de même.

Il était exactement vingt et une heures, l'heure de Mercure, le Messager. Et je me trouvais de nouveau au centre d'un cercle de la Tradition. Un encens de menthe, de basilic et de benjoin a été répandu dans la chapelle. Et tous les chevaliers ont entamé la grande invocation :

« Ô grand et puissant roi N. qui, par le pouvoir du Dieu suprême, EL, règne sur tous les esprits supérieurs et inférieurs, mais surtout sur l'ordre infernal du domaine de l'Est, je t'invoque [...] afin que je puisse réaliser mon désir, quel qu'il soit, dès l'instant où il est approprié à ton ouvrage, par le pouvoir de Dieu, EL, qui a créé toutes choses du ciel, des airs, de la terre et des enfers, et en dispose. »

Un profond silence s'est abattu sur nous tous et, même sans le voir, nous avons pu sentir la présence de celui dont le nom était invoqué. C'était la consécration du rituel. J'avais déjà pris part à des centaines de cérémonies de ce genre, avec des résultats beaucoup plus surprenants lorsque arrive ce moment. Mais le château des templiers a certainement stimulé un peu mon imagination : j'ai cru voir planer dans la partie gauche de la chapelle une sorte d'oiseau brillant inconnu de moi auparavant.

Le prêtre suprême nous a aspergés d'eau depuis l'extérieur du cercle. Puis, avec l'encre sacrée, il a écrit sur la terre les soixante-douze noms par lesquels on nomme Dieu dans la Tradition. Tous, pèlerins et chevaliers, avons commencé à réciter les noms sacrés. Le feu des torches a crépité, signe que l'esprit invoqué s'était soumis.

Le moment de la Danse était arrivé. J'ai compris pourquoi Petrus m'avait appris à danser la veille, une danse différente de celle que j'avais l'habitude d'effectuer à cette étape du rituel.

La règle ne nous a pas été dite mais tous nous la

connaissions : personne ne devait mettre un pied hors du cercle, puisque nous ne portions pas les protections que ces chevaliers avaient revêtus sous leurs cottes de mailles. Je me suis représenté la taille du cercle et j'ai fait exactement ce que Petrus m'avait enseigné.

J'ai commencé à penser à l'enfance. Une voix, une lointaine voix de femme s'est mise en moi à chanter des rondes. Je me suis agenouillé, puis recroquevillé dans la position de la semence. Ma poitrine, seule ma poitrine, se mettait à danser. Je me sentais bien, et j'étais déjà immergé dans le rituel de la Tradition. Peu à peu la musique en moi s'est transformée, les mouvements sont devenus plus brusques, et je suis entré dans une puissante extase. Tout était sombre, et mon corps n'avait plus de poids dans cette obscurité. Alors je me suis promené dans les champs fleuris d'Aghata, et j'y ai rencontré mon grand-père et un oncle qui avait beaucoup marqué mon enfance. J'ai senti la vibration du temps dans son canevas où toutes les routes se mêlent jusqu'à se confondre, bien qu'elles soient si différentes. À un moment, j'ai vu passer l'Australien, à toute vitesse : il avait sur le corps une lueur rouge.

L'image suivante a été celle d'un calice et d'une

patène [1] ; elle est restée fixe très longtemps, comme si elle voulait me dire quelque chose. J'ai essayé de la déchiffrer mais je n'y comprenais rien, tout en ayant la certitude qu'elle avait un rapport avec mon épée. Ensuite, j'ai cru voir le visage de RAM surgir au milieu de l'obscurité qui s'est formée lorsque le calice et la patène eurent disparu. Mais quand le visage s'est approché, c'était seulement celui de N., l'esprit invoqué, et ma vieille connaissance. Nous n'avons établi aucune communication particulière, et son visage s'est dissipé dans l'obscurité qui allait et venait.

Je ne sais combien de temps nous avons dansé. Soudain j'ai entendu une voix : « Iahweh, Tetra-grammaton... » Je ne voulais pas sortir de la transe, mais le prêtre suprême répétait : « Iahweh, Tetragrammaton... » Cela m'a irrité. J'étais encore attaché à la Tradition, et je ne voulais pas revenir. Mais le Maître insistait.

Contrarié, je suis revenu à la Terre. Je me trouvais de nouveau dans le cercle magique, dans l'atmosphère ancestrale du château des templiers.

Nous, les pèlerins, nous sommes regardés. La rupture soudaine semblait déplaire à tous. J'ai eu l'immense envie de commenter avec l'Australien ce que j'avais vu. Quand je l'ai regardé, j'ai

---

1. Sorte de plat circulaire, normalement en or, que le prêtre utilise au cours de la messe pour poser l'hostie consacrée.

compris que les mots étaient inutiles : il m'avait vu aussi.

Les chevaliers se sont placés autour de nous. Ils se sont mis à frapper leurs épées contre les boucliers, dans un bruit assourdissant. Jusqu'au moment où le prêtre suprême a dit :

« Ô esprit N., puisque tu as, avec diligence, exaucé mes requêtes, solennellement je te laisse partir, sans offenser homme ou bête. Va, te dis-je, et sois prêt et désireux de revenir, toujours dûment exorcisé et conjuré par les rites sacrés de la Tradition. Je te conjure de te retirer pacifiquement et tranquillement, et puisse la paix de Dieu demeurer à tout jamais entre toi et moi. Amen. »

Le cercle défait, nous nous sommes agenouillés, tête baissée. Un chevalier a prié avec nous sept *Notre Père* et sept *Ave Maria*. Le prêtre suprême a ajouté sept *Je crois en Dieu le Père*, affirmant que Notre-Dame de Medjugorje – dont les apparitions avaient lieu en Yougoslavie depuis 1982 – l'avait déterminé ainsi. Nous entreprenions alors un rituel chrétien.

« Andrew, lève-toi et viens jusqu'ici », a ordonné le prêtre suprême. L'Australien s'est dirigé vers l'autel, devant lequel se tenaient les sept chevaliers.

Un autre chevalier, qui devait être son guide, a dit :

« Mon frère, vous voulez être accueilli dans la compagnie de la Maison ?

— Oui », a répondu l'Australien.

Et j'ai compris à quel rituel chrétien nous assistions : l'initiation d'un templier.

« Vous connaissez les grandes sévérités de la Maison, et les ordres caritatifs qui s'y trouvent ?

— Je suis prêt à tout supporter, par Dieu, et je désire être serviteur et esclave de la Maison, toujours, pour tous les jours de ma vie », a répondu l'Australien.

Vint une série de questions rituelles dont certaines n'avaient plus le moindre sens dans le monde d'aujourd'hui tandis que d'autres signifiaient profond dévouement et amour. Andrew, la tête baissée, répondait à toutes.

« Distingué frère, vous me demandez grande chose, car de notre religion vous ne voyez que l'écorce au-dehors, les beaux chevaux, les beaux habits, a dit son guide. Mais vous ne savez pas les sévères commandements qui sont dedans : en effet, il est dur que vous, qui êtes maître de vous-même, deveniez serviteur d'autrui, car rarement vous ferez ce que vous voudrez. Si vous voulez être ici, on vous enverra de l'autre côté de la mer, et si vous voulez être à Acre, on vous enverra sur la terre de Tripoli, ou d'Antioche, ou d'Arménie. Et lorsque vous voudrez dormir, vous serez obligé de veiller, et si vous voulez rester éveillé, on vous enverra vous reposer sur votre lit.

– Je veux entrer dans la Maison », a répondu l'Australien.

Il semblait que les anciens templiers, qui un jour avaient habité ce château, assistaient satisfaits à la cérémonie d'initiation. Les torches crépitaient intensément.

Vinrent ensuite plusieurs admonestations, et à toutes l'Australien répondit qu'il acceptait, qu'il voulait entrer dans la Maison. Enfin son guide s'est tourné vers le prêtre suprême et a répété toutes les réponses que l'Australien avait données. Le prêtre suprême, solennellement, a demandé une fois encore s'il était prêt à accepter toutes les règles que la Maison exigerait.

« Oui, Maître, s'il plaît à Dieu. Je viens devant Dieu, devant vous et devant les frères, et je vous implore et vous demande, par Dieu et par Notre-Dame, de m'accueillir dans votre compagnie et dans les bienfaits de la Maison, sur les plans spirituel et temporel, comme celui qui veut être serviteur et esclave de la Maison, désormais, pour tous les jours de sa vie.

– Faites-le venir, pour l'amour de Dieu », a dit alors le prêtre suprême.

À ce moment, tous les chevaliers ont sorti leur épée de leur fourreau et les ont pointées vers le ciel. Puis ils ont abaissé les armes et ont formé une couronne d'acier autour de la tête d'Andrew. Le feu donnait aux lames un reflet doré, qui prêtait à la scène un caractère sacré.

Solennellement, son maître s'est approché. Et il lui a remis son épée.

Quelqu'un a fait sonner une cloche dont l'écho résonna dans l'antique château, se répétant à l'infini. Nous avons tous baissé la tête et les chevaliers ont disparu de notre vue. Lorsque nous eûmes relevé le visage, nous n'étions plus que dix, car l'Australien était sorti avec eux pour le banquet rituel.

Nous avons changé de vêtements et nous nous sommes séparés sans plus de formalité. La danse avait dû durer très longtemps car le jour se levait. Une immense solitude a envahi mon âme.

J'étais jaloux de l'Australien, qui avait retrouvé son épée et était parvenu au bout de sa quête. J'étais seul, sans personne pour me guider désormais, parce que la Tradition, en un lointain pays d'Amérique du Sud, m'avait expulsé sans m'enseigner le chemin du retour. Et il m'avait fallu parcourir l'étrange chemin de Saint-Jacques, qui maintenant arrivait à son terme, sans que je connaisse le secret de mon épée, ou la manière de la trouver.

La cloche sonnait toujours. En sortant du château, j'ai remarqué que c'était celle d'une église voisine, appelant les fidèles pour la première messe de la journée. La ville s'éveillait pour des heures de travail, d'amours malheureuses, de rêves lointains et de notes à payer. Sans que ni la cloche ni la ville aient su que, cette nuit-là, un rite ancestral avait été consommé et que ce que l'on croyait mort depuis des siècles continuait de se renouveler et de montrer son immense pouvoir.

Le Cebrero

« Vous êtes pèlerin ? » a demandé la petite fille,
seule présence vivante dans cet après-midi torride
de Villafranca del Bierzo.

Je l'ai regardée sans mot dire. Elle devait avoir
dans les huit ans, était mal habillée et elle avait
accouru à la fontaine où je m'étais assis pour me
reposer un peu.

Mon unique préoccupation était d'arriver rapidement à Saint-Jacques-de-Compostelle et d'en
finir une bonne fois pour toutes avec cette folle
aventure. Je ne parvenais pas à oublier la voix
triste de Petrus dans le dépôt de wagons, ni son
regard lointain quand j'avais plongé mon regard
dans le sien, au cours du rituel de la Tradition.
C'était comme si tous ses efforts pour m'aider
n'avaient abouti à rien. Quand on a appelé l'Australien à l'autel, Petrus aurait voulu que l'on
m'appelât aussi, j'en suis certain. Mon épée aurait

très bien pu se trouver cachée dans ce château, plein de légendes et de la sagesse des ancêtres. C'était un endroit qui correspondait parfaitement à toutes les conclusions auxquelles j'étais arrivé : désert, visité seulement par quelques pèlerins qui respectaient les reliques de l'ordre du Temple, et un territoire sacré.

Mais seul l'Australien avait été appelé. Et Petrus devait se sentir humilié de n'avoir pas été un guide capable de me conduire jusqu'à l'épée.

En outre, le rituel de la Tradition avait réveillé en moi la fascination du savoir de l'occulte que j'avais appris à oublier tandis que je faisais l'étrange chemin de Saint-Jacques, le « chemin des gens ordinaires ». Les invocations, le contrôle quasi absolu de la matière, la communication avec les autres mondes, tout cela était beaucoup plus intéressant que les Pratiques de RAM. Peut-être les Pratiques avaient-elles une application plus objective dans ma vie ; sans aucun doute j'avais beaucoup changé depuis que j'avais entrepris le chemin. Grâce à l'aide de Petrus, j'avais découvert que la connaissance acquise pouvait me faire surmonter des chutes, vaincre des ennemis, et converser avec le Messager sur des sujets pratiques. J'avais connu le visage de ma mort, et le Globe bleu de l'Amour qui dévore, inondant le monde entier. J'étais prêt pour mener le Bon Combat et faire de la vie un tissu de victoires.

Tout de même, une part cachée de moi regrettait encore les cercles magiques, les formules transcendantales, l'encens et l'encre sacrée. Ce que Petrus avait appelé « un hommage aux Anciens » représentait pour moi un contact intense et nostalgique avec de vieilles leçons oubliées. Et la perspective de ne plus jamais avoir accès à ce monde, peut-être, me privait de stimulant pour aller plus loin.

De retour à l'hôtel après le rituel de la Tradition, je trouvai joint à ma clef *Le Guide du pèlerin*, un livre que Petrus utilisait lorsque les marques jaunes étaient moins visibles et qui nous permettait de calculer la distance entre une ville et une autre. J'ai quitté Ponferrada le matin même, sans dormir, et j'ai repris le Chemin. Le premier après-midi, j'ai découvert que la carte n'était pas à l'échelle, ce qui m'a obligé à passer une nuit à la belle étoile, à l'abri d'un rocher.

Là, méditant sur tout ce qui m'était arrivé depuis ma rencontre avec Mme Savin, je repassai mentalement l'insistance de Petrus à me faire comprendre que, contrairement à ce que l'on nous avait toujours enseigné, ce sont les résultats qui importent. L'effort est salutaire et indispensable mais, sans résultats, il ne signifie rien. Je ne pouvais attendre de moi-même et de tout ce qui s'était passé qu'un seul résultat : trouver mon

_ée. Ce qui ne s'était pas encore produit. Il ne restait que quelques jours de marche pour arriver à Saint-Jacques.

« Si vous êtes un pèlerin, je peux vous mener jusqu'au portail du Pardon, a insisté la petite fille près de la fontaine de Villafranca del Bierzo. Celui qui franchit ce portail n'a pas besoin d'aller jusqu'à Saint-Jacques. »

Je lui ai tendu quelques pesetas, pour qu'elle partît rapidement et me laissât en paix. Mais elle a commencé à jouer avec l'eau de la fontaine, mouillant mon sac et mon bermuda.

« Allons, allons monsieur », a-t-elle répété.

À ce moment précis, je pensais à une phrase que Petrus citait constamment : « Celui qui laboure doit avoir l'espérance. Celui qui bat le blé, qu'il le fasse dans l'espoir de recevoir la part qui lui est due. » C'était un extrait des épîtres de l'apôtre Paul.

Je devais tenir bon encore un peu. Continuer à chercher sans avoir peur de la défaite. Conserver l'espoir de trouver mon épée et d'en déchiffrer le secret. Mais qui sait si cette petite fille ne tentait pas de me dire quelque chose que je ne voulais pas comprendre ? Si le portail du Pardon, qui se trouvait dans une église, avait le même effet spiri-

298

tuel que l'arrivée à Saint-Jacques, pourquoi mon épée ne s'y trouverait-elle pas?

« Allons-y », ai-je répondu à la petite fille.

J'ai regardé le mont que je venais de descendre, il fallait retourner en arrière et en remonter une partie. J'étais passé par le portail du Pardon sans le moindre désir de le connaître, car je m'étais fixé un seul objectif : arriver à Saint-Jacques. Cependant, il y avait là une petite fille, seule présence vivante dans cet après-midi torride, qui insistait pour que je fasse demi-tour et approche quelque chose que j'avais laissé de côté. Dans ma hâte et mon découragement, j'avais peut-être dépassé mon objectif sans le voir. Au bout du compte, pourquoi cette gamine n'était-elle pas partie après que je lui eus donné l'argent?

Petrus avait toujours dit que j'aimais me raconter des histoires. Mais peut-être s'était-il trompé.

Tout en suivant la fillette, je me suis remémoré l'histoire du portail du Pardon. L'Église avait conclu une sorte d'« arrangement » avec les pèlerins malades parce que, de là jusqu'à Compostelle, le Chemin était de nouveau accidenté et montagneux. Au XII⁰ siècle, un pape avait donc déclaré qu'il suffisait à celui qui n'avait plus la force de continuer sa route de franchir le portail du Pardon. Il recevrait les mêmes indulgences que ceux arrivés au terme du chemin. Ce pape avait ainsi résolu le problème de certains pèlerins et stimulé les pèlerinages.

Nous sommes montés par là où j'étais passé : chemins sinueux, glissants et abrupts. La petite fille allait devant, rapide comme l'éclair, et plusieurs fois j'ai dû lui demander de ralentir l'allure. Elle obéissait un moment, puis se remettait à courir. Au bout d'une demi-heure et après de multiples protestations de ma part, nous sommes enfin arrivés au portail du Pardon.

« J'ai la clef de l'église, a-t-elle dit. Je vais entrer et ouvrir le portail pour que vous le franchissiez. »

La fillette est entrée par la porte principale et je suis resté à l'attendre à l'extérieur. La chapelle était petite. Le portail, une ouverture orientée vers le nord, était entièrement décoré de coquilles et de scènes de la vie de saint Jacques. Alors que j'entendais le bruit de la clef dans la serrure, un immense berger allemand a surgi de je ne sais où et s'est interposé entre le portail et moi.

Mon corps s'est aussitôt préparé à la lutte. « Encore, ai-je pensé. On dirait que cette histoire ne va jamais finir. Toujours des épreuves, des luttes et des humiliations. Et aucun signe de l'épée. »

À ce moment, pourtant, le portail du Pardon s'est ouvert et la petite fille est apparue. En voyant le chien qui me regardait – et moi, les yeux déjà rivés sur les siens –, elle a prononcé quelques mots gentils et ainsi apprivoisé l'animal. En remuant la queue, il s'est dirigé vers le fond de l'église.

Peut-être Petrus avait-il raison : j'adorais me raconter des histoires. Un simple berger allemand s'était transformé en une bête menaçante et sur-naturelle. C'était mauvais signe, signe de la fatigue qui mène à la déroute.

Mais il restait encore un espoir. La petite fille m'a invité à entrer. Dans l'expectative, j'ai franchi le portail du Pardon et j'ai reçu les mêmes indul-gences que les pèlerins de Saint-Jacques.

J'ai parcouru des yeux le sanctuaire vide, quasi-ment dépourvu de représentations, en quête de la seule chose qui m'intéressait.

« Ici se trouvent les chapiteaux en coquille, symbole du Chemin, a commencé la petite, qui jouait son rôle de guide touristique. Voici sainte Agathe du... siècle... »

En peu de temps j'ai compris l'inutilité de refaire tout ce parcours.

« Et voici saint Jacques Matamore, brandissant son épée, et les Maures sous son cheval, statue du... siècle... »

Là se trouvait l'épée de saint Jacques. Mais ce n'était pas la mienne. J'ai tendu encore à la petite quelques pesetas, qu'elle a refusées. À demi offensée, elle m'a demandé de sortir et a mis fin à ses explications.

J'ai redescendu la montagne et j'ai recommencé à marcher en direction de Compostelle. Tandis que je traversais pour la seconde fois Villafranca del Bierzo, est apparu un homme, qui a dit s'appeler Angel et m'a demandé si je voulais visiter l'église Saint-Joseph-l'Ouvrier. Malgré la magie de ce nom [1], je venais d'avoir une déception et j'étais désormais certain que Petrus était un véritable connaisseur de l'esprit humain. Nous avons toujours tendance à nous raconter des histoires sur des choses qui n'existent pas et à refuser l'évidence lorsqu'elle crève les yeux.

Mais, seulement pour en avoir une nouvelle confirmation, je me suis laissé conduire par Angel jusqu'à l'autre église. Elle était fermée et il n'avait pas la clef. Il m'a montré, au-dessus de la porte, la statue de saint Joseph tenant les outils de charpentier. J'ai regardé, je l'ai remercié et je lui ai offert quelques pesetas. Il n'a pas voulu les accepter et m'a abandonné au milieu de la rue.

« Nous sommes fiers de notre ville, a-t-il dit. Ce n'est pas pour l'argent que nous faisons cela. »

1. *Angel* signifie « ange » en espagnol.

Reprenant le même chemin, en un quart d'heure je laissai derrière moi Villafranca del Bierzo, avec ses portes, ses rues et ses guides mystérieux qui ne demandaient rien en échange.

J'ai parcouru un certain temps le terrain montagneux, faisant beaucoup d'efforts et progressant lentement. Au début je ne pensais qu'à mes préoccupations antérieures – la solitude, la honte d'avoir déçu Petrus, mon épée et son secret. Mais, l'image de la petite fille et celle d'Angel me revenaient à l'esprit à chaque instant. Alors que j'avais les yeux fixés sur ma récompense, ils m'avaient donné le meilleur d'eux-mêmes : leur amour pour cette ville. Sans contrepartie. Une idée encore confuse a pris forme au plus profond de moi-même. C'était un lien entre tous ces éléments. Petrus avait toujours insisté sur le fait que la quête de la récompense était absolument nécessaire pour parvenir à la victoire. Cependant, chaque fois que j'oubliais le reste du monde et ne me préoccupais que de mon épée, il me faisait revenir à la réalité par des démarches douloureuses. Ce comportement s'était répété plusieurs fois le long du Chemin.

C'était à dessein. Et là devait résider le secret de mon épée. Ce qui était enfoui au fond de mon âme a commencé à s'agiter et un peu de lumière a filtré. Je ne réalisais pas encore ce vers quoi je tendais mais quelque chose me disait que j'étais sur la bonne piste.

J'étais reconnaissant d'avoir rencontré Angel et la petite fille; il y avait de l'Amour qui dévore dans leur manière de parler des églises. Ils m'avaient fait parcourir deux fois le chemin que je m'étais proposé de faire dans l'après-midi. J'avais alors de nouveau oublié la fascination du rituel de la Tradition, et j'étais revenu aux terres d'Espagne.

Je me suis rappelé un jour, déjà très lointain, où Petrus m'avait raconté que nous avions parcouru plusieurs fois la même route dans les Pyrénées. J'ai regretté ce jour-là. Cela avait été un bon début – qui sait si la répétition du même événement, maintenant, n'était pas le présage d'une heureuse issue?

Le soir je suis arrivé dans un village et j'ai trouvé un logis chez une vieille femme qui m'a demandé une somme minime pour le gîte et le couvert. Nous avons discuté un peu, elle m'a confié sa foi en Jésus du Sacré-Cœur et ses inquiétudes pour la récolte des olives en cette année de sécheresse. J'ai bu le vin, mangé la soupe, et je suis allé dormir de bonne heure.

Je me sentais plus tranquille, à cause de cette pensée qui se formait en moi et qui allait bientôt exploser. J'ai prié, j'ai accompli quelques exercices que Petrus m'avait enseignés, et j'ai invoqué Astrain. Je devais parler avec lui de la lutte avec le chien. Ce jour-là il avait fait son possible pour me porter préjudice et, après son refus lors de l'épisode de la croix, j'étais bien décidé à l'éloigner pour toujours de ma vie. Si je n'avais pas reconnu sa voix, j'aurais cédé aux tentations qui s'étaient présentées tout au long du combat.

« Tu as fait ton possible pour aider Légion à vaincre ai-je dit.

— Je ne lutte pas contre mes frères », a rétorqué Astrain.

C'était la réponse que j'attendais. J'avais déjà été prévenu à ce sujet et il était absurde d'être fâché que le Messager suivît sa propre nature. Il me fallait chercher en lui un compagnon pour m'aider dans les moments comme celui-ci – c'était sa seule fonction. J'ai mis de côté ma rancune et nous avons commencé à discuter du Chemin, de Petrus, du secret de l'épée, dont je pressentais qu'il se trouvait en moi. Il ne m'a rien dit d'important, si ce n'est que ces secrets lui étaient défendus. Au moins avais-je quelqu'un avec qui bavarder, après un après-midi de silence. Nous avons conversé tard, jusqu'au moment où la vieille a frappé à ma porte, faisant remarquer que je parlais en dormant.

Je me suis réveillé en meilleure forme et je me

suis mis en marche tôt le matin. D'après mes calculs, je devais arriver l'après-midi même sur les terres de Galice, où se trouve Saint-Jacques-de-Compostelle. Le chemin montait sans cesse, et j'ai dû redoubler d'efforts pendant quatre heures environ pour conserver le rythme de marche que je m'étais imposé. J'espérais à tout moment qu'au prochain tournant la route allait redescendre. Mais cela ne se produisait jamais et j'ai fini par perdre l'espoir d'avancer plus vite ce matin-là. Au loin, j'apercevais des montagnes plus élevées et je me rappelais à chaque instant que, tôt ou tard, il me faudrait les franchir. L'effort physique, cependant, avait presque totalement suspendu ma pensée, et je me suis senti plus bienveillant vis-à-vis de moi-même.

Zut! ai-je pensé, au bout du compte, combien d'hommes dans ce monde pourraient prendre au sérieux quelqu'un qui laisse tout tomber pour chercher une épée? Et qu'est-ce que cela signifierait réellement dans ma vie si je ne parvenais pas à la trouver? J'avais appris les Pratiques de RAM, j'avais rencontré mon Messager, lutté avec un chien et regardé ma mort, me répétai-je encore une fois, en essayant de me convaincre de l'importance qu'avait pour moi le chemin de Saint-Jacques. L'épée n'était qu'une conséquence. J'aurais aimé la trouver, mais j'aurais aimé plus encore savoir qu'en faire. Parce qu'il me fallait en faire un usage pratique, tout comme j'avais utilisé les exercices que Petrus m'avait enseignés.

Je me suis arrêté brusquement. La pensée qui, jusque-là, était enfouie a explosé. Tout, autour de moi, est devenu clair et une onde incontrôlable d'Agapè a jailli de moi. J'ai désiré intensément que Petrus fût là, pour que je puisse lui raconter ce qu'il voulait savoir de moi, la seule chose qu'en réalité il attendait que je découvre et qui couronnait cette longue période d'enseignements par l'étrange chemin de Saint-Jacques : quel était le secret de mon épée.

Et le secret de mon épée, comme le secret de toute conquête que l'homme cherche dans cette vie, était la chose la plus simple du monde : qu'en faire ?

Je n'avais jamais réfléchi en ces termes. Au cours du Chemin, tout ce que je désirais savoir, c'était le lieu où elle était cachée. Je ne m'étais pas demandé pourquoi je voulais la trouver, ni pourquoi j'avais besoin d'elle. Toute mon énergie était tournée vers la récompense, et je ne comprenais pas que, lorsque quelqu'un désire une chose, il doit attribuer une finalité très claire à ce qu'il veut. C'est le seul motif pour lequel rechercher une récompense, et tel était le secret de mon épée.

Il fallait que Petrus sache que j'avais fait cette découverte, mais j'avais la certitude de ne plus le revoir. Il avait tant attendu que ce jour vînt et il ne l'avait pas vu.

Alors, en silence, je me suis mis à genoux, j'ai pris un papier dans mon carnet de notes et j'ai écrit ce que je prétendais faire de mon épée. Puis j'ai plié la feuille soigneusement et je l'ai mise sous une pierre – qui me rappelait son nom et son amitié. Le temps détruirait rapidement ce papier, mais je le remettais à Petrus symboliquement.

Lui savait déjà ce que j'allais réaliser avec mon épée. Ma mission avec Petrus aussi était accomplie.

J'ai grimpé plus haut dans la montagne, Agapè coulant en moi et enluminant tout le paysage à la ronde. Maintenant que j'avais découvert le secret, il me faudrait découvrir ce que je cherchais. Une foi, une certitude inébranlable s'est emparée de tout mon être. Je me suis mis à chanter la musique italienne que Petrus avait fredonnée dans le dépôt de wagons. Comme je n'en connaissais pas les paroles, je les ai inventées. Il n'y avait personne à proximité, je traversais une forêt épaisse et, isolé, j'ai chanté plus fort. Bientôt, j'ai senti que les mots que j'inventais prenaient un sens absurde dans ma tête, c'était un moyen de communication avec le monde que j'étais seul à connaître, car le monde m'enseignait désormais.

J'avais fait cette expérience d'une autre manière lors de ma première rencontre avec Légion. Ce jour-là s'était manifesté en moi le don des langues. J'étais alors le serviteur de l'Esprit, qui se servait de moi pour sauver une femme, créer un ennemi et m'enseigner la forme cruelle du Bon Combat. Maintenant c'était différent : j'étais le maître de moi-même et j'apprenais à converser avec l'univers.

J'ai commencé à dialoguer avec tout ce qui apparaissait en chemin : des troncs d'arbres, des flaques d'eau, des feuilles mortes et de belles plantes grimpantes. C'était l'exercice des gens ordinaires, appris par les enfants et oublié par les adultes. Mais il y avait une mystérieuse réponse des choses, comme si elles comprenaient ce que je disais et, en échange, m'inondaient de l'Amour qui dévore. Je suis entré dans une sorte de transe et j'ai pris peur, mais j'étais prêt à poursuivre ce jeu jusqu'à l'épuisement.

Une fois de plus Petrus avait raison : en m'enseignant à moi-même, je me transformais en Maître.

L'heure du déjeuner est arrivée mais je ne me suis pas arrêté pour manger. Pendant que je traversais les petites localités, je parlais plus bas, je riais tout seul et si, d'aventure, quelqu'un a prêté attention à moi, il a dû conclure que de nos jours les pèlerins arrivaient fous à la cathédrale de Saint-Jacques. Mais cela n'avait pas d'importance, parce que je célébrais la vie autour de moi et je savais désormais ce que je devrais faire de mon épée lorsque je la trouverais.

Le reste de l'après-midi j'ai marché en transe, conscient du lieu où je voulais arriver, mais beaucoup plus conscient encore de la vie qui m'entourait et me renvoyait Agapè. Pour la première fois de lourds nuages ont commencé à se former dans le ciel ; j'ai souhaité qu'il plût – parce qu'après tout ce temps de marche et de sécheresse la pluie était une expérience neuve, excitante. À trois heures de l'après-midi, j'ai foulé les terres de Galice, et j'ai vu sur ma carte que seule une montagne me séparait du terme de cette étape. J'ai décidé que je devais la gravir et dormir dans le premier endroit habité de la descente : Tricastela, où un grand roi, Alphonse XI, avait rêvé de fonder une grande cité, qui, des siècles plus tard, était encore un village de campagne.

Toujours en chantant et en parlant la langue que j'avais inventée pour converser avec les éléments, j'ai entrepris l'ascension de la dernière montagne : le Cebrero. Son nom était celui d'un ancien village romain et semblait indiquer le mois de février, au cours duquel un événement important avait dû se produire. Il était considéré jadis comme le passage le plus difficile de la route de saint Jacques mais aujourd'hui les choses avaient changé. Certes, l'ascension était plus abrupte, mais une immense antenne de télévision sur un mont voisin servait de repère aux pèlerins et leur évitait de quitter la route, ce qui autrefois était fréquent et fatal.

Les nuages étaient de plus en plus bas et d'ici peu j'allais pénétrer dans la brume. Pour arriver à Tricastela, je devais suivre très attentivement les marques jaunes, car l'antenne de télévision était cachée par le brouillard. Si je me perdais, je serais obligé de dormir une nuit de plus à la belle étoile, et ce jour-là, avec la pluie qui menaçait, l'expérience s'annonçait plutôt désagréable. Sentir les gouttes tomber sur son visage, jouir de la plénitude, de la liberté et de la vie, passer la nuit dans un endroit accueillant, avec un verre de vin et un lit où se reposer en prévision de l'étape du lendemain est une chose. Se laisser gagner par l'insomnie en essayant de dormir dans la boue, guetté par une infection au genou à cause des bandages mouillés en est une autre. Il me fallait choisir rapidement : continuer tout droit et traverser le brouillard tant qu'il y avait assez de lumière, ou retourner dormir dans le petit village par lequel j'étais passé quelques heures plus tôt, et remettre au lendemain la traversée du Cebrero.

Au moment où j'ai compris la nécessité d'une décision immédiate, j'ai remarqué qu'une chose étrange m'arrivait. La certitude d'avoir découvert le secret de mon épée me poussait en avant, droit sur le brouillard qui bientôt allait m'envelopper. C'était un sentiment bien différent de celui qui m'avait fait suivre la petite fille jusqu'au portail du Pardon, ou l'homme qui m'avait mené à l'église Saint-Joseph-l'Ouvrier.

Je me suis rappelé que, les rares fois où il m'était arrivé de donner une conférence, au Brésil, je comparais toujours l'expérience mystique à une expérience que nous connaissons tous : l'apprentissage de la bicyclette. La première fois, vous montez sur la bicyclette, vous donnez une impulsion à la pédale et vous tombez. Vous avancez et vous tombez, vous avancez et vous tombez. Pourtant, l'équilibre parfait se réalise soudain et vous parvenez à maîtriser l'engin. Il n'y a pas accumulation d'expériences mais une sorte de « miracle » qui se manifeste au moment où la bicyclette se met à « vous conduire » ; vous acceptez de suivre le déséquilibre du deux-roues et vous utilisez le mouvement de chute initial pour en faire une courbe ou un nouvel élan.

Pendant l'escalade du Cebrero, à quatre heures de l'après-midi, j'ai constaté que le même miracle s'était produit. Après avoir marché si longtemps sur le chemin de Saint-Jacques, le chemin de Saint-Jacques se mettait à « me mener ». Je suivais ce que tout le monde appelle l'intuition. Et à cause de l'Amour qui dévore que j'avais éprouvé toute la journée, à cause du secret de mon épée que j'avais découvert, et parce que l'homme, dans les moments de crise, prend toujours la décision juste, je me dirigeais sans crainte vers le brouillard.

« Ce nuage doit avoir une fin », pensais-je tandis que je m'efforçais de découvrir les marques jaunes sur les pierres et sur les arbres du Chemin. Cela faisait presque une heure que la visibilité était très faible, et je continuais à chanter, pour éloigner la peur, attendant qu'un événement extraordinaire se produisît. Cerné par la brume, seul dans cette atmosphère irréelle, je regardais le chemin de Saint-Jacques comme dans un film, au moment où l'on voit le héros faire ce que personne n'oserait, tandis que dans la salle les gens pensent que ces choses-là n'arrivent qu'au cinéma. Mais j'étais bien là, vivant cette situation dans la vie réelle. La forêt était de plus en plus silencieuse, et le brouillard a commencé à s'éclaircir nettement. Peut-être arrivais-je au bout, mais cette lumière troublait mes yeux et peignait le paysage de couleurs mystérieuses et effrayantes.

Le silence était maintenant quasi total, et j'y prêtais attention lorsque j'ai cru entendre, provenant de ma gauche, une voix de femme. Je me suis arrêté aussitôt. J'attendais que le son se reproduisît mais pas un bruit, pas même les bruits habituels de la forêt, des grillons, des insectes et des animaux foulant les feuilles mortes. J'ai regardé ma montre : il était exactement dix-sept heures quinze. J'ai calculé qu'il restait encore quatre kilomètres environ pour arriver jusqu'à Torrestrela ; j'avais largement le temps de les parcourir à la lumière du jour.

Levant les yeux de ma montre, j'ai entendu de nouveau la voix féminine. Dès lors, j'allais vivre l'une des expériences les plus importantes de toute ma vie.

La voix ne provenait de nulle part, sinon du dedans de moi. Je parvenais à l'entendre clairement et nettement. Mon sens de l'intuition la rendait plus forte. Je n'étais pas le maître de cette voix – ni Astrain. Elle m'a seulement dit que je devais continuer à marcher, et j'ai obéi sans sourciller. C'était comme si Petrus était revenu, me parlant de l'ordre et de l'obéissance, et qu'à cet instant je n'étais qu'un instrument du Chemin qui « me menait ». Le brouillard se faisait de plus en plus en plus clair, il semblait sur le point de se dissiper. Près de moi, des arbres épars, un terrain humide et glissant, et la même pente abrupte que je parcourais depuis pas mal de temps.

Soudain, comme par magie, le brouillard s'est évanoui. Et devant moi, plantée au sommet de la montagne, se dressait la croix.

J'ai regardé tout autour, vu la mer de nuages d'où j'émergeais et une autre mer de nuages, loin au-dessus de ma tête. Entre ces deux océans, les pics des montagnes les plus élevées et le pic du Cebrero. Un profond désir de prier m'a saisi. Même si cela m'obligeait à quitter le chemin de Torrestrela, j'ai décidé de gravir la montagne jusqu'au sommet et de faire mes oraisons au pied de la croix. Ce furent quarante minutes d'escalade dans le silence extérieur et intérieur. La langue que j'avais inventée avait quitté mon esprit, elle ne me servait plus à communiquer ni avec les hommes ni avec Dieu. C'était le chemin de Saint-Jacques qui « me menait », et il allait me révéler l'endroit où se trouvait mon épée. Une fois de plus Petrus avait raison.

Au sommet, un homme était assis non loin de la croix, en train d'écrire. J'ai pensé un instant qu'il était un envoyé, une vision surnaturelle. Mais l'Intuition m'a dit que non et j'ai aperçu alors la coquille cousue sur ses vêtements ; c'était un pèlerin. Il m'a regardé un long moment et s'en est allé, importuné par ma présence. Peut-être avait-il attendu la même chose que moi, un ange ? Nous avions découvert l'un et l'autre un homme. Sur le chemin des gens ordinaires.

Malgré mon désir de prier, je n'ai rien pu dire. Je suis resté longtemps devant la croix, à regarder les montagnes et les nuages qui recouvraient ciel et terre, ne laissant dépasser hors de la brume que les hauts sommets. À une centaine de mètres en contrebas, des lumières s'allumaient dans un hameau constitué d'une quinzaine de maisons et d'une petite église. Au moins, j'avais où passer la nuit, quand le Chemin en déciderait. Je ne savais pas exactement à quelle heure cela arriverait mais, malgré l'absence de Petrus, je n'étais pas privé de guide. Le chemin « me menait ».

Un agneau égaré a grimpé la montagne et s'est

placé entre la croix et moi. Il m'a regardé, un peu effrayé. Je suis resté longtemps ainsi, à contempler le ciel presque noir, la croix et l'agneau blanc au pied de celle-ci. J'ai senti alors tout à coup la fatigue de cette longue période d'épreuves, de luttes, de leçons et de marche. Une douleur terrible dans l'estomac est remontée dans ma gorge et s'est muée en sanglots secs, sans larmes, devant cet agneau et cette croix immense et solitaire, montrant le destin que l'homme a donné, non pas à son dieu, mais à lui-même. Toutes les leçons du chemin de Saint-Jacques me revenaient à l'esprit, tandis que je sanglotais devant cet agneau solitaire.

« Seigneur, ai-je dit, réussissant enfin à prier. Je ne suis pas cloué sur cette croix, et ne T'y vois pas non plus. Cette croix est vide et elle doit le rester à tout jamais, parce que le temps de la mort est passé, et un dieu maintenant ressuscite en moi. Cette croix était le symbole du pouvoir infini, que nous avons tous, de clouer l'homme et de le mettre à mort. Maintenant ce pouvoir renaît pour la vie, le monde est sauvé, et je suis capable d'accomplir Tes miracles. Parce que j'ai parcouru le chemin des gens ordinaires, et en eux j'ai trouvé Ton secret. Toi aussi Tu as parcouru le chemin des gens ordinaires. Tu es venu nous apprendre tout ce dont nous étions capables, et

317

nous n'avons pas voulu l'accepter. Tu nous as montré que le pouvoir et la gloire étaient à la portée de tous, et cette vision soudaine de nos facultés a été trop grande pour nous. Nous T'avons crucifié, non pas parce que nous sommes ingrats envers le fils de Dieu, mais parce que nous avions très peur d'accepter nos propres facultés. Nous T'avons crucifié parce que nous avions peur de devenir des dieux. Avec le temps et la tradition, Tu es redevenu une divinité lointaine, et nous sommes retournés à notre destin d'hommes.

« Ce n'est pas un péché que d'être heureux. Une demi-douzaine d'exercices et une écoute attentive suffisent à un homme pour qu'il parvienne à réaliser ses rêves impossibles. Parce que j'étais orgueilleux de ma sagesse, Tu m'as fait parcourir le chemin que tous peuvent parcourir, et découvrir ce que tout le monde saurait s'il prêtait un peu d'attention à la vie. Tu m'as fait voir que la quête du bonheur est personnelle, et qu'il n'y a pas de modèle que nous puissions transmettre aux autres. Avant de découvrir mon épée, j'ai dû découvrir son secret – et il était tellement simple : il suffisait de savoir qu'en faire. Que faire d'elle et du bonheur qu'elle allait représenter pour moi.

« J'ai parcouru tous ces kilomètres pour découvrir des choses que je savais déjà, que nous savons tous, mais qu'il est si difficile d'accepter. Quoi de plus difficile pour l'homme, Seigneur, que de découvrir qu'il peut atteindre le pouvoir ? Cette douleur que je sens maintenant dans ma poitrine, et qui me fait sangloter et effrayer l'agneau, se produit depuis que l'homme existe. Peu nombreux sont ceux qui ont accepté le fardeau de la victoire : la plupart ont renoncé à leurs rêves lorsque ceux-ci devenaient possibles. Ils se sont refusés à mener le Bon Combat parce qu'ils ne savaient pas quoi faire de leur propre bonheur, ils étaient prisonniers des choses du monde. Comme moi, qui voulais trouver mon épée sans savoir qu'en faire. »

Un dieu endormi s'éveillait en moi et la douleur était de plus en plus intense. Je sentais près de moi la présence de mon Maître, et j'ai réussi pour la première fois à transformer en larmes les sanglots. J'ai pleuré de gratitude pour lui qui m'avait fait chercher mon épée à travers le chemin de Saint-Jacques. J'ai pleuré de gratitude pour Petrus qui m'avait appris sans rien dire que j'atteindrais mes rêves, si je découvrais d'abord ce que je voulais en faire. J'ai vu la croix nue et l'agneau devant elle, libre de se promener où il voulait dans ces montagnes, et de contempler les nuages.

L'agneau s'est levé et je l'ai suivi. Je savais où il me menait. En dépit des nuages, le monde m'était devenu transparent. Même si je ne voyais pas la Voie lactée dans le ciel, j'avais la certitude qu'elle existait et désignait à tous le chemin de Saint-Jacques. L'agneau s'est dirigé vers ce village – qui porte le nom de Cebrero, comme le mont. Là, un jour, un miracle s'était produit, le miracle de la transformation de ce que l'on fait en ce que l'on croit. Le secret de mon épée et de l'étrange chemin de Saint-Jacques.

Tandis que je descendais la montagne, je me suis rappelé cette histoire. Un paysan d'un village voisin monta pour écouter la messe au Cebrero, un jour de violent orage. Cette messe était célébrée par un moine de peu de foi, qui méprisa intérieurement le sacrifice du paysan. Mais au moment de la consécration, l'hostie se transforma en la chair du Christ et le vin en son sang. Les reliques se trouvent encore là, conservées dans cette petite chapelle, un trésor supérieur à toutes les richesses du Vatican.

L'agneau s'est arrêté à l'entrée du village, depuis laquelle une rue unique mène jusqu'à l'église. J'ai été alors saisi d'épouvante et je me suis mis à répéter sans cesse : « Seigneur, je ne suis pas digne d'entrer dans Ta demeure. » Mais l'agneau m'a regardé et son regard m'a touché. Il me disait d'oublier à jamais mon indignité, parce que le pouvoir venait de renaître en moi, de même qu'il pouvait renaître en tous les hommes qui feraient de la vie un Bon Combat. Un jour viendra, disaient les yeux de l'agneau, où l'homme sera de nouveau fier de lui-même, alors toute la nature célébrera le réveil du dieu qui dormait en lui.

L'agneau était maintenant mon guide sur le chemin de Saint-Jacques. À un moment, tout est devenu sombre, et j'ai eu la vision de scènes qui ressemblaient beaucoup à celles que j'avais lues dans l'Apocalypse : le Grand Agneau sur son trône, et les hommes lavant leurs vêtements et les purifiant dans le sang de l'Agneau. C'était le réveil du dieu endormi en chacun. J'ai vu aussi des combats, des périodes troublées, des catastrophes qui allaient secouer la Terre dans les prochaines années. Mais tout se terminait par la victoire de l'Agneau, chaque être humain à la surface de la Terre réveillant le dieu endormi de tout son pouvoir.

J'ai suivi l'agneau jusqu'à la petite chapelle, construite par le paysan et par le moine qui s'était mis à croire en ce qu'il faisait. Personne ne sait qui ils étaient. Deux pierres sépulcrales anonymes dans le cimetière voisin indiquent l'endroit où sont enterrés leurs ossements. Mais il est impossible de savoir quel est le tombeau du moine, quel est celui du paysan. Car, pour que le miracle eût lieu, les deux forces avaient dû mener le Bon Combat.

La chapelle était tout illuminée quand je suis arrivé à la porte. Oui, j'étais digne d'entrer parce que j'avais une épée et je savais qu'en faire. Ce n'était pas le portail du Pardon : j'avais déjà été pardonné, j'avais lavé mes vêtements dans le sang de l'Agneau. Maintenant je voulais seulement poser les mains sur mon épée et aller mener le Bon Combat.

Dans le petit édifice, il n'y avait pas de croix. Sur l'autel se trouvaient les reliques du miracle : le calice et la patène que j'avais vus au cours de la danse, et un reliquaire d'argent contenant le corps et le sang de Jésus. Je me remettais à croire dans les miracles que l'homme est capable de réaliser tous les jours. Les hauts sommets qui m'entouraient semblaient dire qu'ils n'étaient là que pour défier l'homme. Et que l'homme n'existait que pour accepter l'honneur de ce défi.

L'agneau s'est réfugié derrière un banc et j'ai regardé devant moi. Devant l'autel, souriant – peut-être soulagé – se tenait le Maître. Avec mon épée dans la main.

Je me suis arrêté. Il s'est approché, m'a dépassé et il est ressorti. Je l'ai suivi. Devant la chapelle, regardant le ciel sombre, il a retiré l'épée de son fourreau et m'a demandé de la tenir avec lui. Il a levé la lame et il a prononcé le psaume sacré de ceux qui voyagent et luttent pour gagner :

Qu'il en tombe mille à ton côté, et dix mille à ta droite,
tu ne seras jamais touché.
Aucun mal ne t'arrivera, aucun fléau n'atteindra ta
[tente ;
car à tes Anges tu donneras des ordres,
afin qu'ils te protègent sur tous tes Chemins.

Alors, je me suis agenouillé, et il a frappé de la lame mes épaules l'une après l'autre en disant :

Tu fouleras le lion et l'aspic,
Tu auras à tes pieds le lionceau et le dragon.

Au moment où il terminait de prononcer ces mots, il s'est mis à pleuvoir. Il pleuvait et la pluie fertilisait la terre. Cette eau ne retournerait au ciel qu'après avoir fait naître une semence, croître un arbre, éclore une fleur. Il pleuvait de plus en plus fort et j'ai gardé la tête droite, sentant, pour la première fois de tout le chemin de Saint-Jacques, l'eau qui venait des cieux. Je me suis souvenu des champs déserts et j'étais heureux car, cette nuit, ils seraient inondés. Je me suis souvenu des pierres de León, des champs de blé de Navarre, de l'aridité de la Castille, des vignobles de la Rioja, qui aujourd'hui buvaient la pluie tombant à verse, distillant la force des cieux. Je me suis rappelé que j'avais relevé une croix, mais que l'orage devrait la renverser de nouveau pour qu'un autre pèlerin puisse apprendre l'ordre et l'obéissance. J'ai pensé à la chute, qui maintenant devait être plus forte, alimentée par l'eau de pluie, et à Foncebadon où j'avais abandonné tant de pouvoir pour fertiliser de nouveau le sol. J'ai songé à toutes les eaux que j'ai bues à tant de fontaines et qui maintenant étaient restituées. J'étais digne de mon épée parce que je savais qu'en faire.

Le Maître me l'a tendue, et je l'ai prise. J'ai cherché l'agneau des yeux mais il avait disparu. Cependant, cela n'avait pas la moindre importance : l'eau vive descendait des cieux et faisait briller la lame de mon épée.

Épilogue
Saint-Jacques-de-Compostelle

De la fenêtre de mon hôtel, j'aperçois la cathédrale de Saint-Jacques et quelques touristes devant le portail principal. Des étudiants en costumes sombres du Moyen Âge se promènent dans la foule, et les marchands de souvenirs commencent à installer leurs baraques. Il est tôt le matin et, à l'exception de mes notes, ces lignes sont les premières que j'écris sur le chemin de Saint-Jacques.

Je suis arrivé en ville hier, après avoir pris un autocar qui assurait une correspondance entre Pedrafita, près du Cebrero, et Compostelle. En quatre heures, nous avons parcouru les cent cinquante kilomètres qui séparent les deux cités, et je me suis rappelé la marche avec Petrus – quelquefois il nous fallait deux semaines pour parcourir une telle distance. D'ici peu je vais sortir et déposer sur le tombeau de saint Jacques l'image de Notre-Dame d'Aparecida montée sur les coquilles. Ensuite, si c'est possible, je prendrai un avion pour rentrer au Brésil, où de nombreux travaux m'attendent. Je me souviens des propos de Petrus me racontant qu'il avait résumé toute son expérience dans un tableau. L'idée d'écrire un livre sur ce que j'ai vécu me traverse l'esprit, mais c'est encore un lointain projet, et j'ai beaucoup à faire maintenant que j'ai retrouvé mon épée.

Le secret de mon épée m'appartient, jamais je ne le révélerai. Il a été écrit et laissé sous une pierre mais, avec la pluie qui est tombée, le papier doit déjà être détruit. C'est mieux ainsi. Petrus n'avait pas besoin de savoir.

J'ai demandé au Maître comment il connaissait la date à laquelle j'allais arriver, ou bien s'il se trouvait là depuis un certain temps déjà. Il a ri et dit qu'il était arrivé la veille au matin et qu'il serait parti le lendemain, même si je n'étais pas venu. J'ai insisté pour savoir comment c'était possible : il n'a rien répondu. À l'heure de nous séparer, alors qu'il avait pris place dans la voiture de location qui devait le ramener à Madrid, il m'a donné un petit insigne de l'ordre de Saint-Jacques-de-l'Épée et m'a dit que j'avais déjà eu une grande révélation, lorsque j'avais regardé l'agneau au fond des yeux. Cependant, avec un peu d'effort, peut-être parviendrais-je un jour à comprendre que les gens arrivent toujours à l'heure exacte là où ils sont attendus.

Table des matières

Cet ouvrage a été réalisé par la
SOCIÉTÉ NOUVELLE FIRMIN-DIDOT
Mesnil-sur-l'Estrée
pour le compte des Éditions Anne Carrière
188, bd Saint-Germain 75007 Paris
en mars 1996

IMPRIMERIE QUEBECOR
L'ÉCLAIREUR